Ruth Rozendo Caputo

CAMINHO
das Letras

Ciranda
na Escola

Dados Internacionais de Catalogação na Publicação (CIP) de acordo com ISBD

C255c	Caputo, Ruth Rozendo
	Caminho das letras / Ruth Rozendo Caputo ; ilustrado por Moacir Rodrigues. - Jandira, SP : Ciranda na Escola, 2020. 144 p. ; il. : 20,1cm x 26,8cm.
	ISBN: 978-65-5500-240-9
	1. Alfabetização. 2. Caligrafia. 3. Alfabeto. 4. Língua portuguesa. I. Rodrigues, Moacir. II. Título.
2020-1100	CDD 372 CDU 372

Elaborado por Vagner Rodolfo da Silva - CRB-8/9410

Índice para catálogo sistemático:
1.   Alfabetização 372
2.   Alfabetização 372

Ciranda na Escola é um selo do Grupo Ciranda Cultural.

© 2020 Ciranda Cultural Editora e Distribuidora Ltda.
Produção: Ciranda Cultural
Texto © Ruth Rozendo Caputo
Ilustrações © Moacir Rodrigues

Ilustrações adicionais: Shutterstock.com
(Legenda: E=Esquerda; D=Direita; C=Centro; T=Topo; A=Abaixo; F=Fundo)
Capa=mollicart; Capa/F=Mazurkat; 3=mollicart; 36, 37/EA=Lyudmyla Kharlamova; 44/EA=Anna Frajtova; 46/ET, DA=Lyudmyla Kharlamova; 65/CT, EC=Lyudmyla Kharlamova; 67=Teguh Mujiono; 68/EA=Lyudmyla Kharlamova; 72/C=Lyudmyla Kharlamova; 89/DA=Lyudmyla Kharlamova; 90=Ksenya Savva; 91/ET, DT=Lyudmyla Kharlamova; 91/EC=Ksenya Savva; 92/DT=Ksenya Savva; 92/EA=Anna Frajtova; 92/C=Lyudmyla Kharlamova; 121=Muhammad Desta Laksana; 122/C=Lyudmyla Kharlamova; 128=Igor Zakowski; 136/DA=Teguh Mujiono; 137/EC=Ksenya Savva; 138/EC=Muhammad Desta Laksana; 138/EA=Igor Zakowski; 140/DA=Teguh Mujiono; 141/EA=Ksenya Savva; 142/DA=Muhammad Desta Laksana; 143/DT=Igor Zakowski; 144=Klara Viskova

1ª Edição em 2020
24ª Impressão em 2025
www.cirandacultural.com.br

Ruth Rozendo Caputo

CAMINHO
das Letras

Ciranda
na Escola

Arara

a   minúsculo
A   maiúsculo   } letra de forma

a   minúsculo
G   maiúsculo   } letra cursiva

1. Contorne o pontilhado da letra a A   a G .

a a a a a a a a a a

A A A A A A A A A

a a a a a a a a a

a a a a a a a a

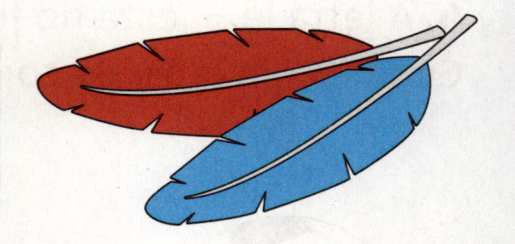

> A arara é bonita.
> Ela tem penas coloridas.

2. Observe outras palavras que começam com a letra a a .
Pinte com lápis colorido a letra a a nas palavras.

anel

anel

apito

apito

arroz

arroz

3. A letra a a está no meio nestas palavras. Circule com lápis
de cor a letra a a nas palavras.

dado

dado

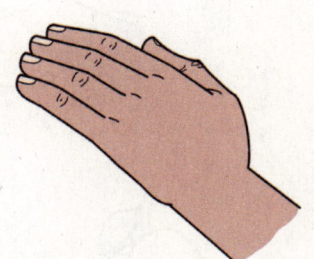

mão

mão

gato

gato

4. A letra a ɑ está no fim de cada uma das palavras abaixo. Circule com lápis de cor a letra a ɑ nas palavras.

bola

𝒷𝑜𝓁𝒶

uva

𝓊𝓋𝒶

ema

𝑒𝓂𝒶

5. Pinte somente as imagens cujas palavras comecem com a letra a ɑ.

6. Pinte as imagens e complete as palavras com a vogal a a .

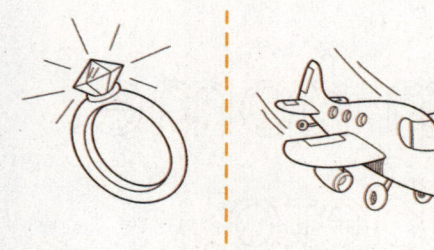   

| __nel | __vião | __belha | __sa | g__to |

__nel   __vião   __belha   __sa   g__to

7. Observe as imagens e as palavras abaixo. O som da letra a a é nasal: ã ã .

avião

avião

maçã

maçã

Leia as palavras abaixo e observe como o som da letra a a é diferente quando tem o til.

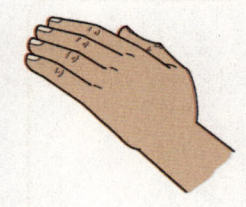

mão

mão

ã ã

rã

rã

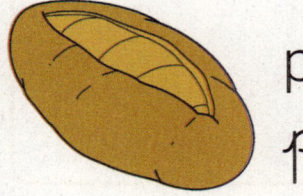

pão

pão

lã

lã

botão

botão

8. Leia o versinho abaixo e pinte todas as letras a A que encontrar.

Toda letra tem um nome.
São 26 no alfabeto.
A primeira é a letra A
de Ana, Adão, Adalberto.

9. Pinte a letra A maiúscula no nome das pessoas.

Ana   Abel   Alice

Artur   Alex

10. Recorte e cole quatro palavras que tenham a letra A a maiúscula.

11. Ligue com um traço os nomes iguais:

Ana	*Alex*
Alex	*Ana*
Alice	*Adão*
Adão	*Alice*
Artur	*André*
André	*Artur*

12. Contorne as palavras pontilhadas para completar as frases.

André joga bola.
André joga bola.

Ana tem um anel de ouro.
Ana tem um anel de ouro.

13. Desenhe ou cole figuras cujas palavras tenham:

Letra a α no início.

Letra a α no meio.

Letra a α no fim.

Letra a α com som de ã ã .

Letra A α maiúscula.

14. Escreva as palavras contornando os pontilhados.

 Ana    alho

 anel    apito

 abacaxi

15. Complete as palavras com a letra [a a].

 b__l__
b__l__

 m__l__
m__l__

 uv__
uv__

 p__nel__
p__nel__

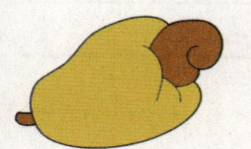 c__ju
c__ju

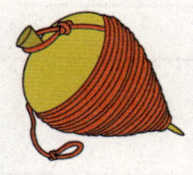 pi__o
pi__o

Ema

e minúsculo
E maiúsculo } letra de forma

ℓ minúsculo
Ɛ maiúsculo } letra cursiva

1. Contorne o pontilhado da letra e E ℓ Ɛ .

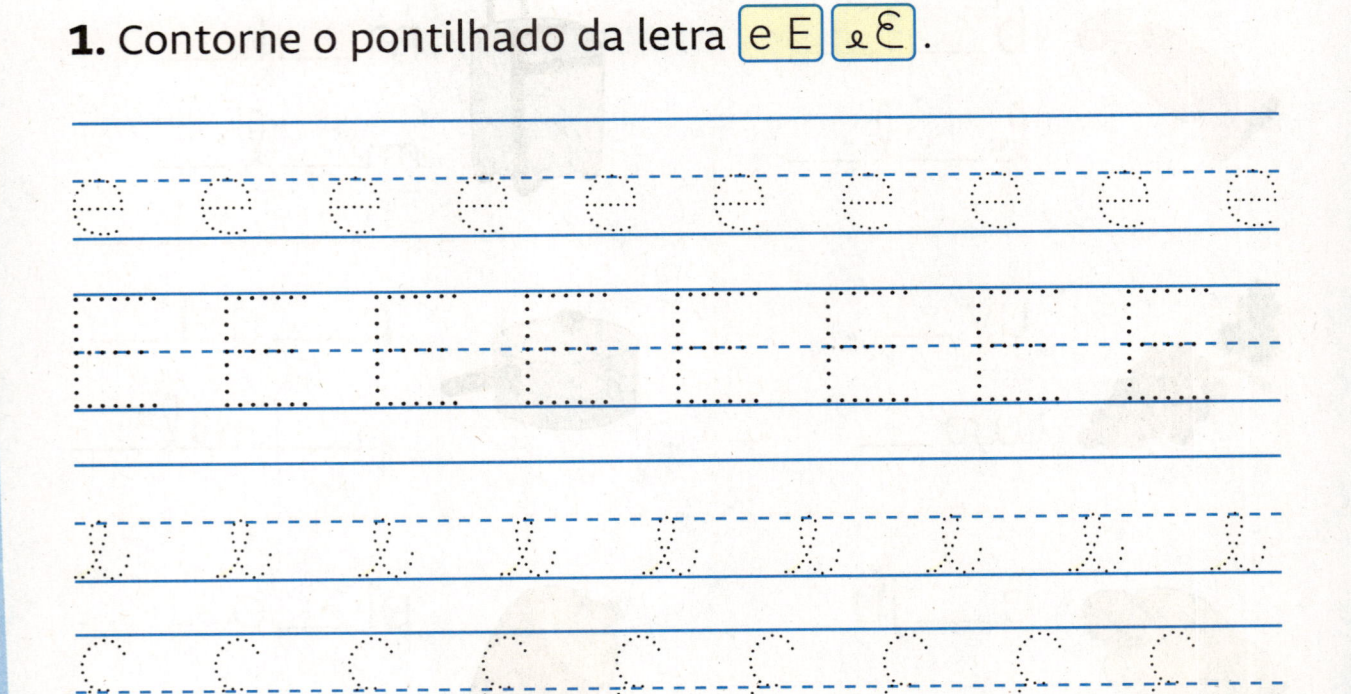

2. Observe: a letra $\boxed{e\ \ell}$ é a mesma, porém o som é diferente. Circule a letra $\boxed{e\ \ell}$ nas palavras.

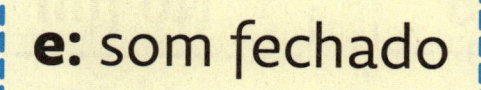
e: som fechado

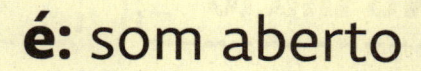
é: som aberto

ema

ema

égua

égua

3. Leia as palavras e perceba a diferença dos sons da letra $\boxed{e\ \ell}$. Pinte com lápis colorido a letra $\boxed{e\ \ell}$.

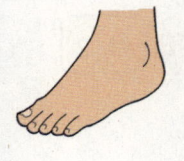 pé / pé	 boné / boné	 café / café
 balde / balde	 meia / meia	 pera / pera

A letra **e** também pode estar no início, no meio e no fim da palavra.

No início	**No meio**	**No fim**

espelho	anel	bode
espelho	anel	bode

4. Leia as palavras e circule a letra **e**.

estrela
estrela

peixe
peixe

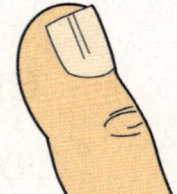

dedo
dedo

5. Desenhe abaixo figuras cujas palavras tenham a letra **e** no começo, no meio e no fim.

Edu é jogador de futebol.

6. Identifique e circule a letra E Ɛ maiúscula nos nomes abaixo.

Eva

Estela

Eduardo

Elô

Elisa

Ênio

7. Encaixe as palavras na cruzadinha.

égua
boné
café
anel
dedo
pé

8. Na quadrinha abaixo, circule a letra e minúscula nas palavras.

Olhem só a letra e e vejam só como ela é.
É o e de elefante e também de elegante.

9. Escreva o nome das figuras.

_____ _____ _____

Iguana

> i   minúsculo
> I   maiúsculo } letra de forma
>
> i   minúsculo
> J   maiúsculo } letra cursiva

1. Contorne o pontilhado da letra i I i J .

2. A letra [i i] também pode aparecer no início, no meio ou no fim das palavras. Circule a letra [i i] nas palavras.

No início	No meio	No fim

iguana

iguana

peixe

peixe

saci

saci

iogurte

iogurte

girafa

girafa

quati

quati

3. Leia as palavras abaixo e escreva-as no quadro de acordo com a posição da letra i 𝓲 .

ipê

meia

saci

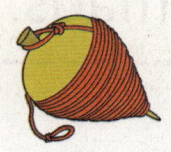
pião

jabuti

ilha

No início da palavra	No meio da palavra	No fim da palavra
_____	_____	_____
_____	_____	_____

4. Complete as palavras com a letra i 𝓲 .

___pê
___pê

___o___ô
___o___ô

sac___
sac___

Ivo e Ivana
são irmãos.

5. Complete os nomes abaixo com a letra I j maiúscula.

___vo   ___vana   ___gor

___vo   ___vana   ___gor

___ngrid   ___ago   ___sadora

___ngrid   ___ago   ___sadora

6. Escreva as palavras abaixo contornando os pontilhados.

iguana

ilha

ioiô

igreja

ipê

iglu

7. Leve Ivo até o seu ioiô, pintando os quadros das palavras que comecem com a letra i ɩ .

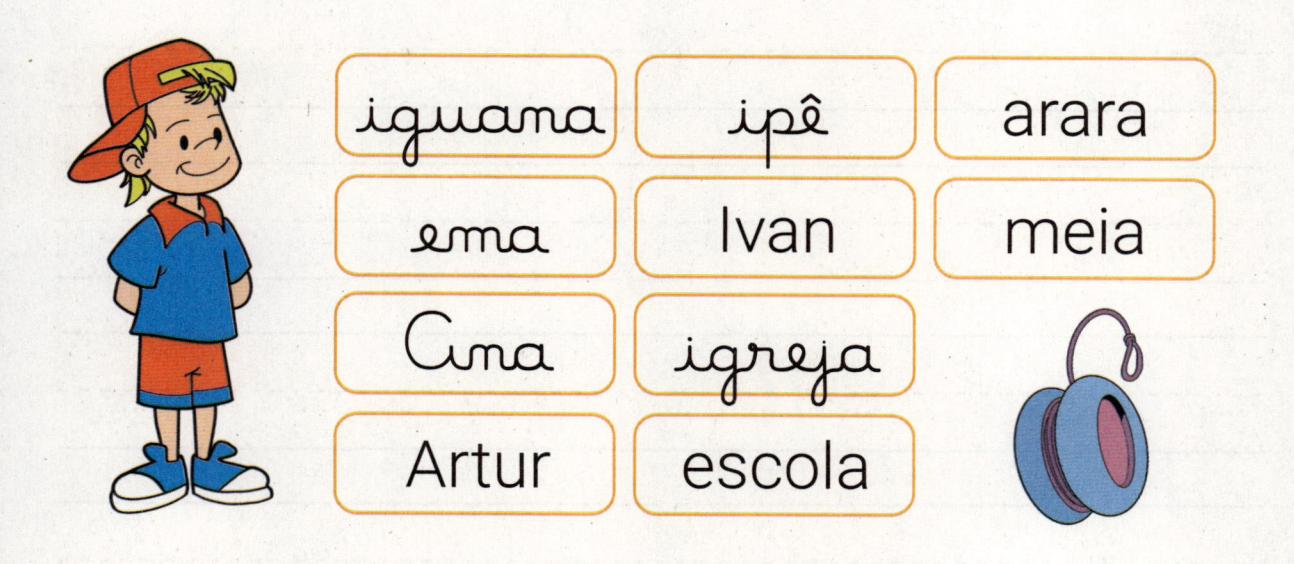

iguana	ipê	arara
ema	Ivan	meia
Cina	igreja	
Artur	escola	

Onça

o minúsculo
O maiúsculo } letra de forma

ᵒ minúsculo
O maiúsculo } letra cursiva

1. Contorne o pontilhado da letra o O ᵒ O .

2. Observe onde aparece a letra O o nas palavras. A letra pode estar no início, no meio ou no fim da palavra.

onça

onça

boi

boi

sapo

sapo

3. Escreva as palavras do quadro nas linhas abaixo, de acordo com a posição da letra O o .

ovo	bola	bolo
coco	oca	eco
osso	dedo	boi

No início da palavra   **No meio da palavra**   **No fim da palavra**

_____   _____   _____

_____   _____   _____

_____   _____   _____

_____   _____   _____

A vovó usa andador.

Aqui a letra [o o] tem o som aberto: [ó ó] .

boia

boia

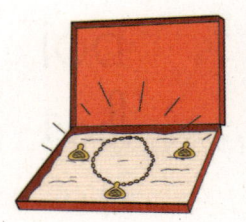

joia

joia

bola

bola

O vovô usa bengala.

Já aqui, a letra [o o] tem o som fechado: [ô ô] .

ioiô

ioiô

robô

robô

ônibus

ônibus

4. Circle na placa a palavra onça e, depois, nas frases abaixo.

Cuidado!
Não mexa
com a onça.

Ana viu a onça no zoológico.
A onça é um animal selvagem.

5. Complete as palavras com a letra O o .

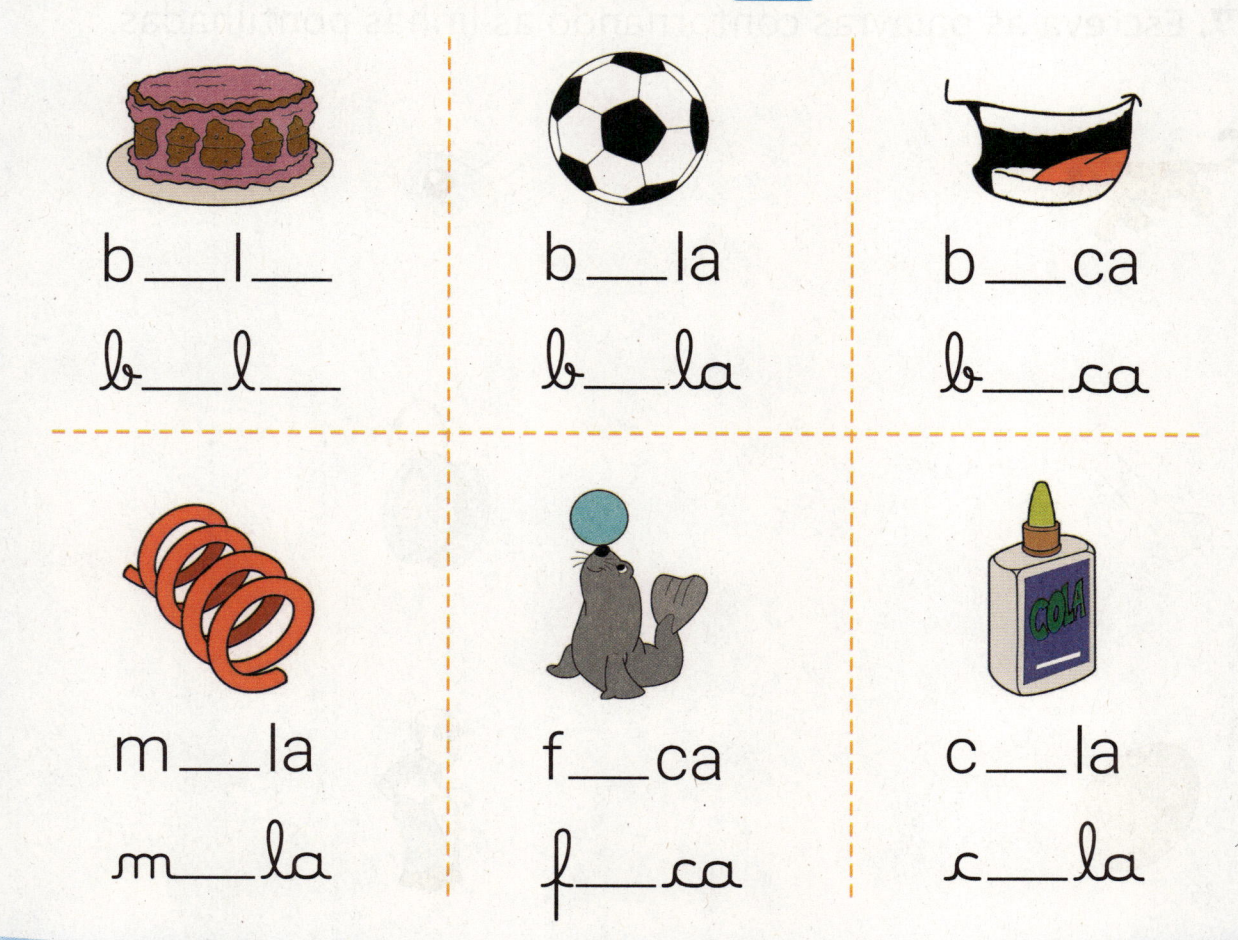

b__l__
b__l__

b__la
b__la

b__ca
b__ca

m__la
m__la

f__ca
f__ca

c__la
c__la

6. Copie da letra da cantiga uma palavra com a letra:

> Sapo cururu
> Na beira do rio
> Quando o sapo canta,
> ô maninha, é porque tem frio.

a _____   e _____

i _____   o _____

7. Escreva as palavras contornando as linhas pontilhadas.

 onça

 olho

 osso

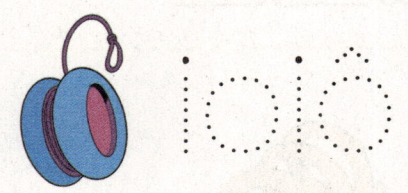 ioiô

 ovo

 vovô

Urso

u	minúsculo	} letra de forma
U	maiúsculo	
u	minúsculo	} letra cursiva
U	maiúsculo	

1. Contorne o pontilhado da letra u U u U .

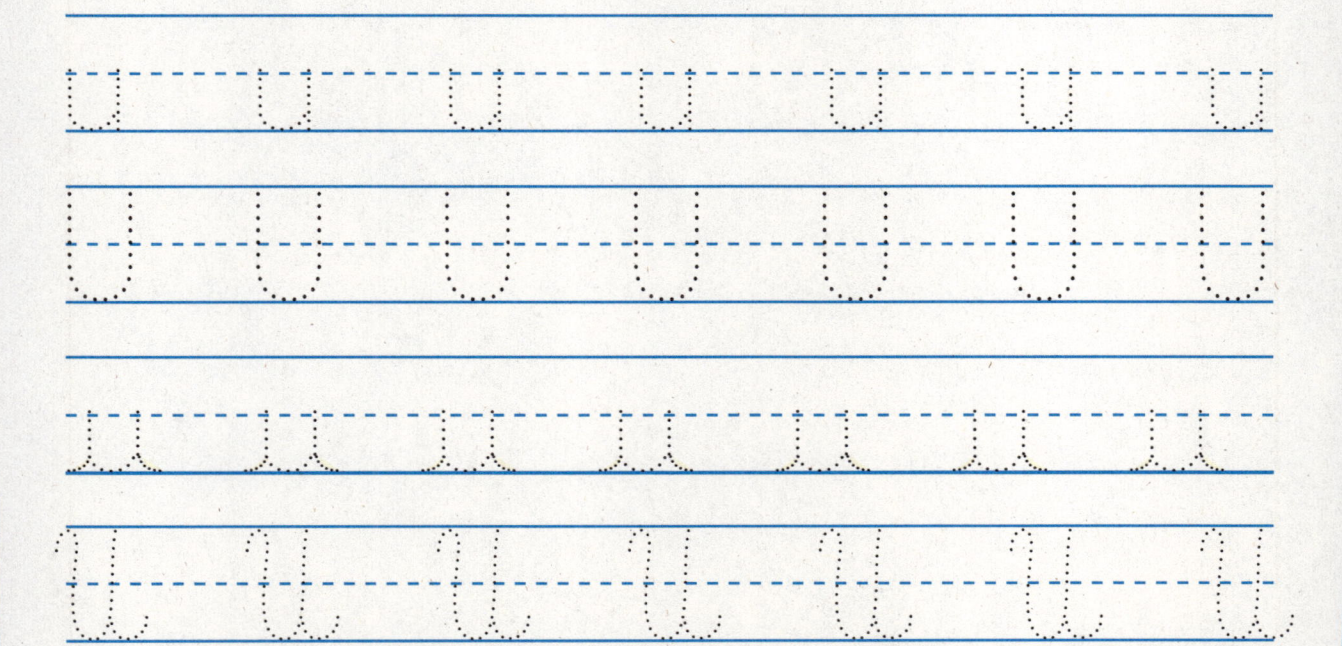

2. Pinte os quadros das palavras com a letra $u\ \mathfrak{u}$ para levar o pirata até o baú.

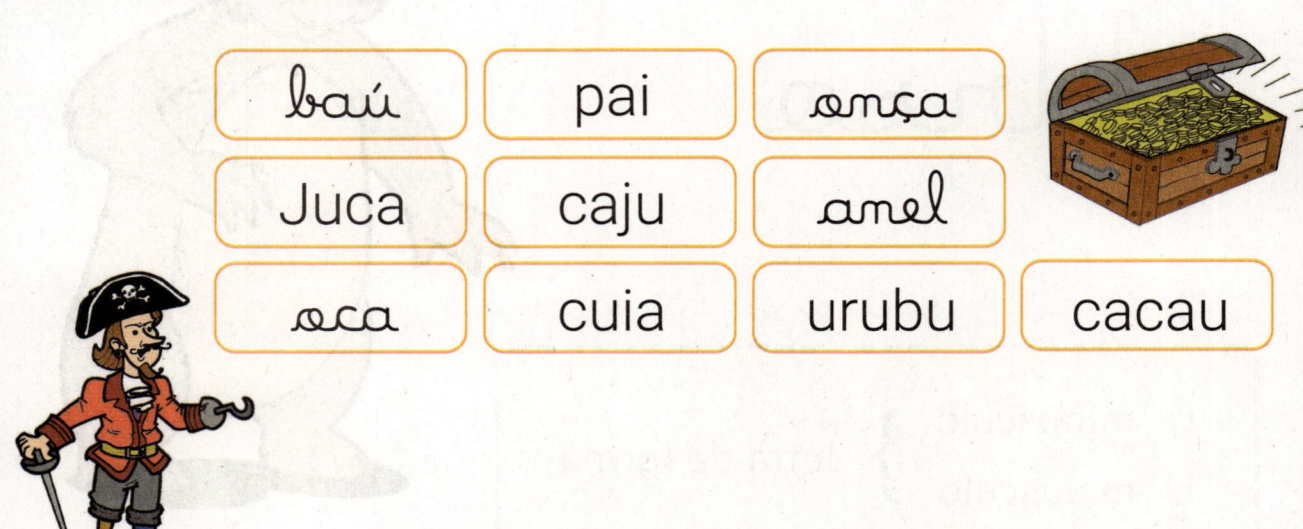

baú · pai · onça

Juca · caju · anel

oca · cuia · urubu · cacau

3. Desenhe três objetos que tenham a letra $u\ \mathfrak{u}$ na palavra.

4. Circule a letra ⟨u u⟩ nas palavras, observando a posição em que elas aparecem.

bule
bule

unha
unha

urso
urso

cacau
cacau

uva
uva

tatu
tatu

lua
lua

caju
caju

coruja
coruja

5. Agora, escreva essas palavras de acordo com a posição da letra ⟨u u⟩.

No início da palavra	No meio da palavra	No fim da palavra
_____	_____	_____
_____	_____	_____
_____	_____	_____

6. Complete as palavras com a letra u u .

t__cano
t__cano

tat__
tat__

per__
per__

jab__ti
jab__ti

__rso
__rso

ig__ana
ig__ana

7. Circule no texto todas as palavras com a letra u u .

> Está na uva, na urtiga e no umbu.
> Está na unha do ursinho e na cobra urutu.

8. Agora, copie as palavras que você circulou.

_____

_____

_____

_____

Escreva as vogais nas linhas abaixo, com letra de forma e letra cursiva.

> A a   E e   I i   O o   U u

> _G a   E e   I i   O o   U u_

Quando juntamos uma, duas ou mais vogais, formamos encontros vocálicos. Observe:

ai papai
papai

ão cão
cão

au pau
pau

ei meia
meia

eu véu
véu

oi boi
boi

oa canoa
canoa

ia saia
saia

ou touro
touro

1. Escreva nos balões os encontros vocálicos de acordo com as cenas.

2. Circule os encontros vocálicos nas palavras abaixo e copie na linha ao lado.

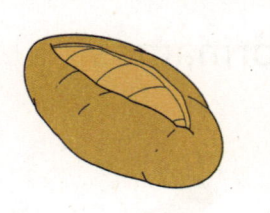

pão _____
pão _____

lua _____
lua _____

coelho _____
coelho _____

feijão _____
feijão _____

chapéu _____
chapéu _____

cutia _____
cutia _____

oito _____
oito _____

cacau _____
cacau _____

couve _____
couve _____

α

O [A] está na ameixa,
na arara e no Adão.
Está no baú e na caixa,
no pão e no avião.

O [I] está na igreja,
na Isaura e no pião.
Está na meia e na teia,
na iguana e no irmão.

3. Circule os encontros vocálicos nas palavras dos versinhos.

ameixa   Adão   baú

teia   irmão   iguana

4. Circule as palavras com [ão] .

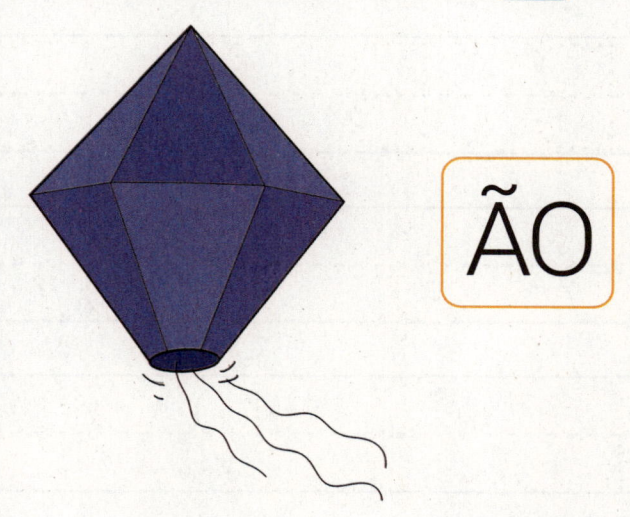

ÃO

Cai, cai, balão,
Cai, cai, balão
Aqui na minha mão.
Não cai não,
Não cai não,
Não cai não,
Cai na rua do Sabão.

Baleia

b	minúsculo	} letra de forma
B	maiúsculo	
b	minúsculo	} letra cursiva
ℬ	maiúsculo	

1. Contorne o pontilhado da letra b B | b B .

2. Pinte somente os quadros com a palavra baleia *baleia* .

balaio   baleia

balde   *baleia*

baliza   *bala*

3. Circule a letra b b B B maiúsculas e minúsculas nas palavras abaixo.

baleia   *bala*   Beto

Bruna   bolo   babá

oba   Bianca   *cabo*

4. Desenhe três objetos que comecem com a letra b b B B .

Podemos juntar a letra b b B B com as vogais e formar uma família silábica. Observe as sílabas:

ba	be	bi	bo	bu
ba	be	bi	ba	bu

Ba	Be	Bi	Bo	Bu
Ba	Be	Bi	Ba	Bu

5. Escreva as sílabas abaixo:

_____

_____

_____

6. Complete as palavras com as sílabas que faltam.

___nana

___mama

___bê

___bê

___co

___ca

___a

___a

___la

___la

___le

___le

7. Ligue as sílabas e forme palavras.

ba
ba _____
la _____
ú _____

be
bê _____
la _____
beu _____

o
a
ba _____

bo
ca _____
bo _____

8. Circule a palavra que corresponde a cada imagem.

oba
baú

babá
bola

boa
boi

boa
Bia

bebê
bebo

aba
oba

9. Junte as sílabas e as vogais e escreva palavras.

ba	be
l	i
bá	a
o	bo

_____

_____

_____

_____

_____

10. Leia as palavras do quadro. Depois, escreva-as de acordo com as sílabas indicadas.

bolo	babo	baú	berro	buri
belo	bebê	boi	aba	beber
bumbo	bule	bala	bico	baba

ba _____

be _____

bi _____

bo _____

bu _____

Vamos cantar?

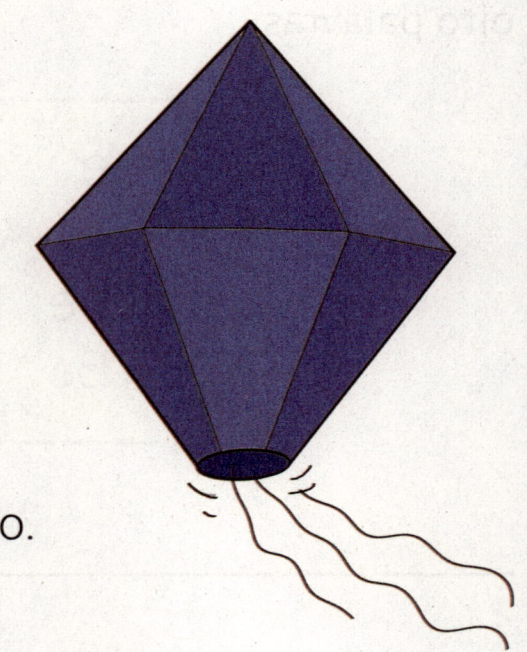

O balão vai subindo,
vem caindo a garoa.
O céu é tão lindo,
a noite é tão boa.
São João, São João,
acende a fogueira do meu coração.

11. Substitua as imagens por palavras.

O  vai subindo.

_____

O  viu o  .

_____

12. Junte as vogais e as sílabas da letra b b B B e escreva oito palavras.

a e i o u ã
a ε ı o u
ba be bi bo bu bão
Ba Be Bi Bo Bu

_____

_____

_____

_____

_____

_____

_____

Cavalo

c minúsculo ⎫
C maiúsculo ⎬ letra de forma

c minúsculo ⎫
C maiúsculo ⎬ letra cursiva

1. Contorne o pontilhado da letra c C c C .

2. Pinte somente os quadros com a palavra cavalo *cavalo* .

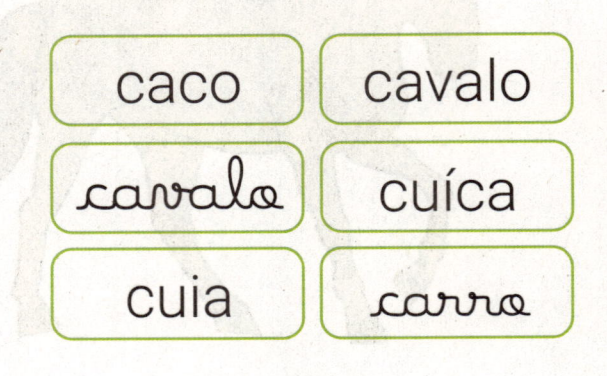

- caco
- cavalo
- *cavalo*
- cuíca
- cuia
- *carro*

3. Pinte a letra c C minúscula e maiúscula nas palavras.

oca   cuca   Caio

coca   eco   boca

calo   cuco   eca

4. Desenhe três objetos que comecem com a letra c c .

A letta c c C C junto com as vogais a , o e u formam uma família silábica.

ca co cu cão Ca Co Cu	ca co cu Ca Co Cu

5. Escreva as sílabas da família silábica do c c .

_____

- -

_____

- -

_____

6. Pinte as sílabas ca co cu nas palavras.

oca	eco	caco
beca	cabe	cuca
coco	cuba	beco
bica	bico	cabana
boca	coa	cubo
Lilica	Luca	Cuca

7. Junte as sílabas e escreva as palavras.

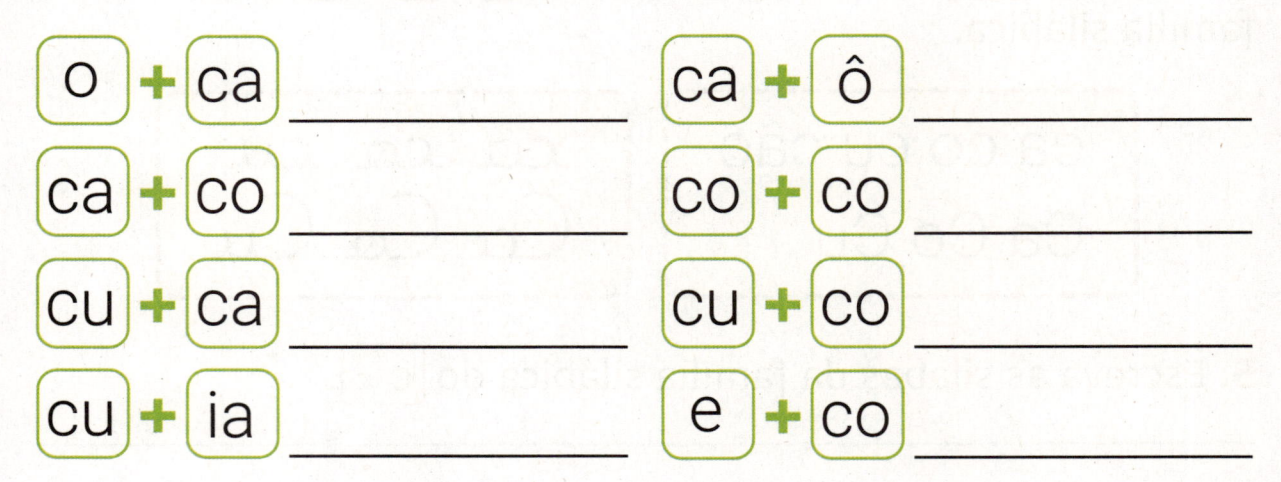

o + ca _____	ca + ô _____
ca + co _____	co + co _____
cu + ca _____	cu + co _____
cu + ia _____	e + co _____

8. Escreva a palavra correspondente a cada uma das imagens abaixo.

9. Junte as vogais e as sílabas e forme palavras.

a	e	i	o	u	ão
ba	be	bi	bo	bu	bão
Ba	Be	Bi	Bo	Bu	
ca			co	cu	cão
Ca			Co	Cu	

_____

_____

_____

_____

_____

_____

10. Agora, separe as palavras que você escreveu de acordo com a família à qual ela pertence.

Letra B

Letra C

_____   _____

_____   _____

_____   _____

_____   _____

11. Bia fez um bolo. O bolo é de coco. Pinte as imagens.

12. Marque um X na resposta correta.

Quem fez o bolo foi:

☐ Caco   ☐ Bia   ☐ Bibi

O bolo é de:

☐ limão   ☐ uva   ☐ coco

13. Pinte os desenhos que estão de acordo com a história.

   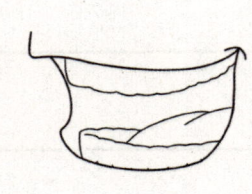 

Dromedário

> d minúsculo
> D maiúsculo } letra de forma
>
> d minúsculo
> D maiúsculo } letra cursiva

1. Contorne o pontilhado da letra d D   d D .

2. Pinte a letra d d nas palavras.

dia   idade   bode

dedo   vida   cabide

dói   cadeado   dado

3. Desenhe ou cole figuras cujos nomes tenham a letra d d D D .

4. Forme a família silábica da letra `d d`.

da de di do du dão	Da De Di Do Du
da de di do du dão	*Da De Di Do Du*

_____

- - - - - - - - - - - - - - - - - -

_____

_____

- - - - - - - - - - - - - - - - - -

_____

_____

- - - - - - - - - - - - - - - - - -

_____

5. Ligue as sílabas e escreva as palavras.

da → do _____
da → da _____

boia
coca → da _____
bola → da _____
→ da _____

di → ca _____
di → a _____

cabi → de _____
bo → de _____

do → ce _____
do → ca _____

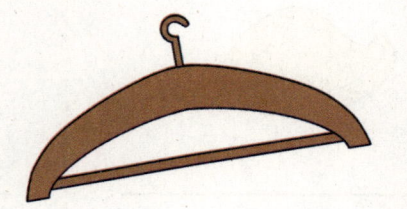

6. Ordene as sílabas e escreva as palavras.

3	1	2
da	co	ca

_____

2	1
du	E

_____

2	1
do	da

_____

3	2	1
da	í	do

_____

1	2
A	da

_____

2	1
de	bo

_____

2	1
dé	De

_____

2	1
bai	Du

_____

3	1	2
de	i	da

_____

7. Escreva as palavras correspondentes às imagens.

_____

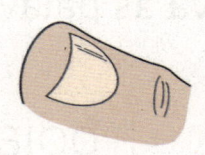

_____

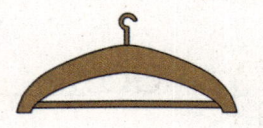

_____

_____

_____

_____

_____

_____

_____

8. Leia as frases e faça um desenho sobre cada uma delas.

O dado é da Bibi.	Dudu tem um anel no dedão.
O cadeado é do Edu.	Duda comeu a cocada.

9. Vamos ver quantas palavras você consegue escrever com as vogais e as sílabas abaixo?

a   e   i   o   u   ão
A   E   I   O   U
ba be bi bo bu bão
Ba Be Bi Bo Bu
ca   co cu cão
Ca   Co Cu
da de di do du dão
Da De Di Do Du

10. Pinte os quadros abaixo de acordo com o texto.

Edu tem um cão.
O cão chama-se Bidu.
Edu deu bolo ao Bidu.

Edu tem um...

| bode | cão | lobo |

O cão chama-se...

| Bubu | Bidu | Bilu |

Bidu comeu...

| dado | bola | bolo |

Foca

f   minúsculo
F   maiúsculo   } letra de forma

f   minúsculo
F   maiúsculo   } letra cursiva

1. Contorne o pontilhado da letra f F / f F .

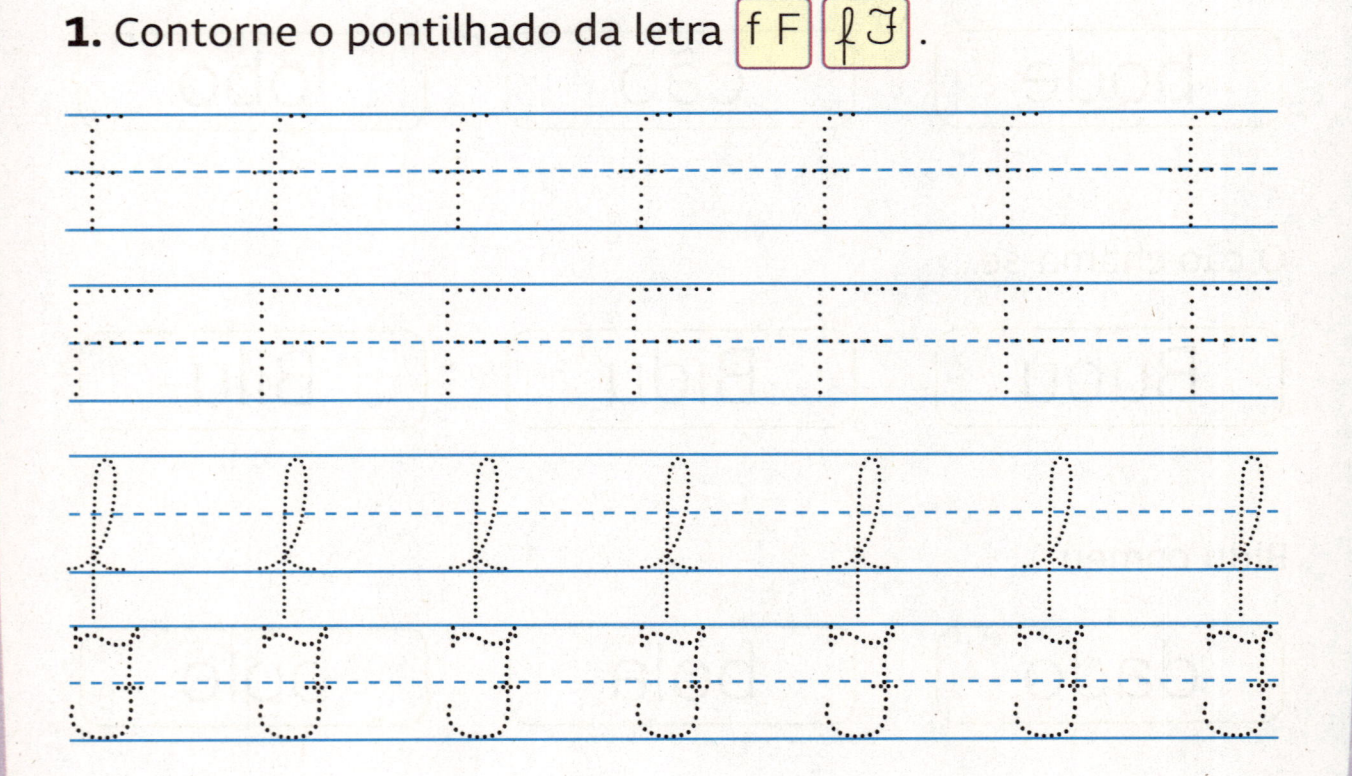

2. Observe e copie a família silábica da letra `f f` .

| fa fe fi fo fu fão |
| fa fe fi fo fu fão |

| Fa Fe Fi Fo Fu Fão |
| Fa Fe Fi Fo Fu Fão |

3. Circule a letra `f f` nas palavras abaixo.

faca

foca

café

fada

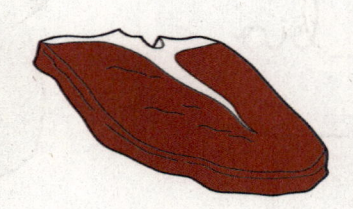

bife

fubá

4. Pinte os quadros abaixo com as palavras que correspondem às imagens.

fera	bico	café	fogo
fada	Fabi	fubá	facão
fica	bife	foca	fila

5. Complete as palavras com as sílabas da letra f ƒ F ℱ .

___da   ___da
___io   ___io
___ló   ___ló
___ca   ___ca
___bá   ___bá
___bio   ___bio
bi___   bi___

6. Junte as sílabas e escreva algumas palavras.

CA	FI	FÉ	BA	BI	FO
A	DO	FA	DA	BO	CO

_____   _____

_____   _____

_____   _____

_____   _____

7. Substitua as imagens por palavras e escreva as frases.

Bia coou o no .

_____

Edu tem um afiado.

_____

Fafá fez de fígado.

_____

a	e	i	o	u	ão
A	E	I	O	U	
ba	be	bi	bo	bu	bão
Ba	Be	Bi	Bo	Bu	
ca			co	cu	cão
Ca			Co	Cu	
da	de	di	do	du	dão
Da	De	Di	Do	Du	
fa	fe	fi	fo	fu	fão
Fa	Fe	Fi	Fo	Fu	

8. Escreva algumas palavras usando as vogais e as sílabas do quadro acima.

_____

_____

_____

_____

_____

_____

Filó é a babá do bebê.
O bebê tem uma bola.
A bola caiu.
Edu pegou a bola e deu
ao bebê.

9. Pinte o quadro da palavra que completa a frase de acordo com o texto.

O nome da babá é: Filó

Filó cuida do: bebê

10. Contorne o pontilhado da palavra correspondente ao desenho para completar a frase.

 A bola caiu.

 Edu pegou a bola e deu ao bebê.

11. Ordene as sílabas e escreva as palavras.

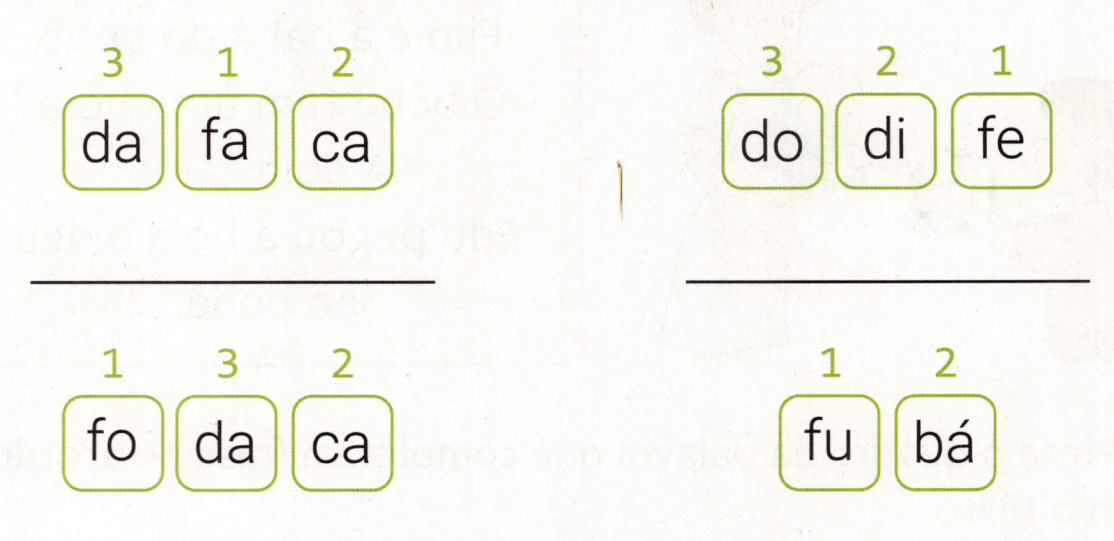

3	1	2
da	fa	ca

_____

3	2	1
do	di	fe

_____

1	3	2
fo	da	ca

_____

1	2
fu	bá

_____

12. Escreva palavras que tenham sílabas das famílias silábicas em destaque nas colunas.

Letra minúscula		Letra maiúscula

a _____   A _____

e _____   E _____

i _____   I _____

o _____   O _____

u _____   U _____

b _____   B _____

c _____   C _____

d _____   D _____

f _____   F _____

Gato

g minúsculo
G maiúsculo } letra de forma

g minúsculo
G maiúsculo } letra cursiva

1. Contorne o pontilhado da letra g G   g G .

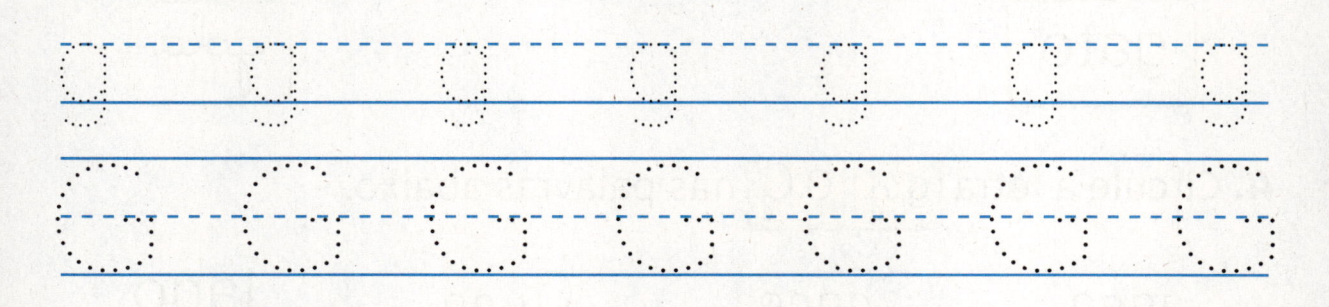

2. Ligue o desenho às palavras correspondentes.

galo

gola

gato

gola

gato

galo

3. Ligue as palavras iguais.

galo

gola

gato

gato

galo

gola

4. Circule a letra `g g` `G G` nas palavras abaixo.

gaga   *gago*   *Guga*   lago

galo   gole   gola   *gogó*

goela   *goiaba*   goiabada   gude

ioga   Guto   gagá   Lego

5. Ligue o fonema com as vogais e forme a família silábica da letra g g G G .

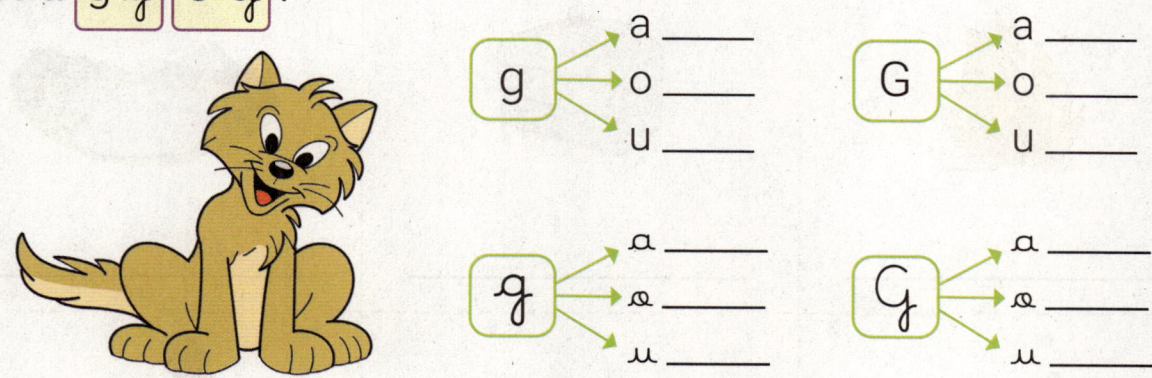

g → a _____ / o _____ / u _____

G → a _____ / o _____ / u _____

g → a _____ / o _____ / u _____

G → a _____ / o _____ / u _____

6. Descubra qual é a palavra e escreva-a abaixo.

to   ta   ma   ga _____   go   lo   le

7. Separe as sílabas das palavras. Depois, escreva a quantidade de sílabas no círculo.

gata ☐ ☐ ○

galego ☐ ☐ ☐ ○

goleada ☐ ☐ ☐ ☐ ○

gota ☐ ☐ ○

gamado ☐ ☐ ☐ ○

8. Escreva o nome de cada uma das imagens.

_____

_____

_____

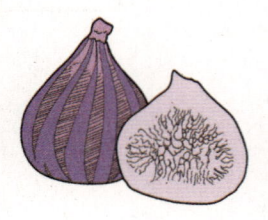

_____

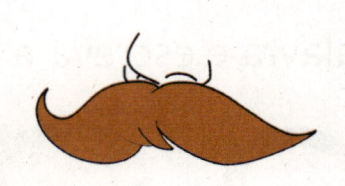

_____

_____

9. Complete as palavras com sílabas da família silábica da letra g g G G .

fi_____
fi_____

_____iaba
_____iaba

fo_____
fo_____

_____iola
_____iola

_____de
_____de

_____la
_____la

10. Escreva as frases substituindo as imagens pelas palavras do quadro.

Bilu   Guga   bigode   leite

é o gato de   .

_____

dá   ao   .

_____

Ele toma o  e suja o   .

_____

11. Vamos ver quantas palavras você consegue escrever com as sílabas abaixo?

a	e	i	o	u	ão
ba	be	bi	bo	bu	bão
Ba	Be	Bi	Bo	Bu	
ca			co	cu	cão
Ca			Co	Cu	
da	de	di	do	du	dão
Da	De	Di	Do	Du	
fa	fe	fi	fo	fu	fão
Fa	Fe	Fi	Fo	Fu	
ga			go	gu	gão
Ga			Go	Gu	

_____

_____

_____

_____

_____

_____

_____

_____

_____

_____

_____

_____

_____

_____

Hiena

h minúsculo	
H maiúsculo	**} letra de forma**
h minúsculo	
H maiúsculo	**} letra cursiva**

1. Contorne o pontilhado da letra h H h H .

2. Assinale na frase as palavras com a letra h H ℎℋ.

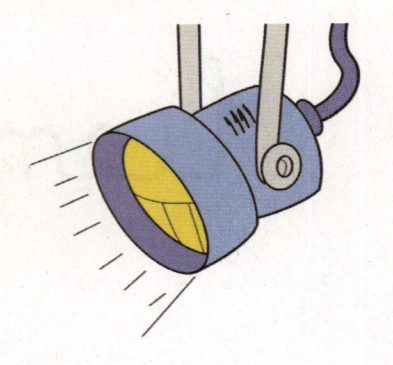

> O holofote ilumina o hotel.
> Hugo é hóspede do hotel.

3. Circule a letra h H ℎℋ nas palavras.

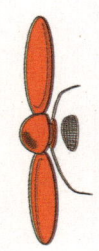

hélice

homem

hipopótamo

harpa

hino

helicóptero

Henrique

hora

hortelã

4. Conheça a família silábica da letra h H _h H_ e copie nas linhas abaixo.

ha he hi ho hu hão
ha he hi ho hu hão

Ha He Hi Ho Hu Hão
Ha He Hi Ho Hu Hão

5. Separe as sílabas e, depois, reescreva as palavras.

humor ▢ ▢ _____

hábito ▢ ▢ ▢ _____

hera ▢ ▢ _____

humano ▢ ▢ ▢ _____

hino ▢ ▢ _____

hoje ▢ ▢ _____

holofote ▢ ▢ ▢ ▢ _____

herói ▢ ▢ _____

6. Junte as sílabas indicadas pelos números e escreva as palavras.

1 e	2 hi	3 hu
4 po	5 pó	6 na
7 no	8 ta	9 mo

2, 4, 5, 8 e 9 _____

2 e 7 _____

2, 1 e 6 _____

3 e 9 _____

7. Coloque as palavras em ordem e forme uma frase. Depois, copie a frase na linha ao lado com letra de forma.

Helena	uma
hiena	viu

_____

_____

O	a
relógio	marca
hora	

_____

_____

sábado	Hoje
é	

_____

_____

Hugo	um
é	herói

_____

_____

Javali

> j minúsculo ⎫
> J maiúsculo ⎬ letra de forma
>
> ȷ minúsculo ⎫
> ℐ maiúsculo ⎬ letra cursiva

1. Contorne o pontilhado da letra j J ȷ ℐ.

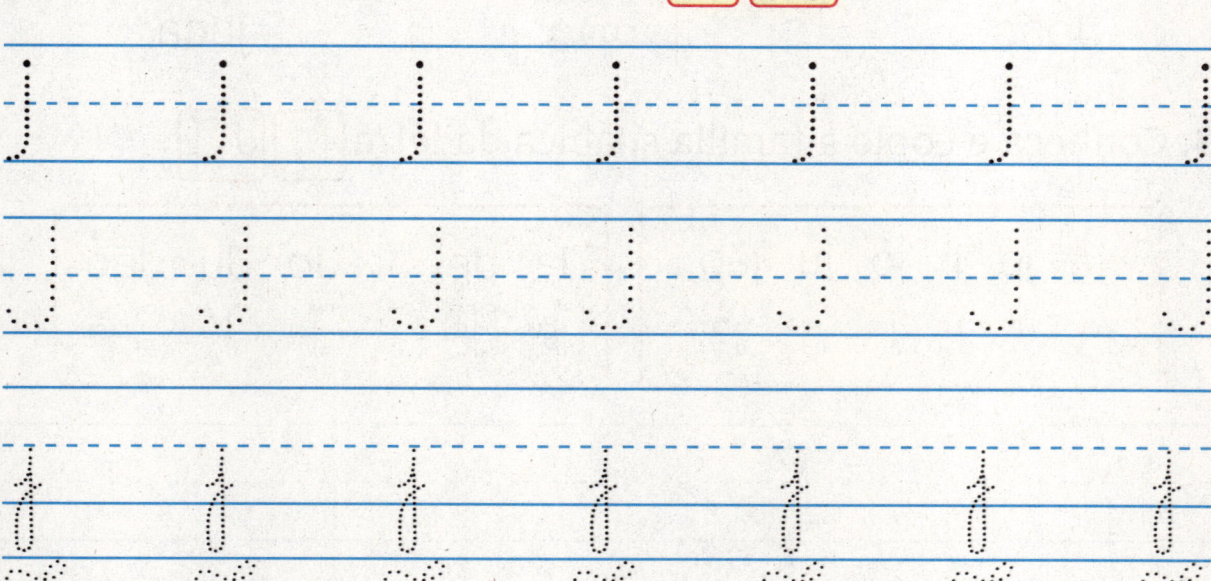

2. Circule a letra j j   J J nas palavras.

jacaré

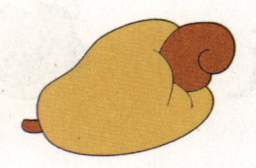

caju

jiboia

juba

feijão

jujuba

João

Joana

jaca

3. Conheça e copie a família silábica da letra j j   J J .

| ja je ji jo ju jão |
| ja je ji jo ju jão |

| Ja Je Ji Jo Ju Jão |
| Ja Je Ji Jo Ju Jão |

4. Complete as palavras com sílabas da letra j J .

fei _____ o   pi _____ ma   _____ bá

pa _____   ho _____   _____ ca

_____ pe   _____ ló   _____ ito

_____ ão   ti _____ lo   _____ go

_____ ca   _____ dô   _____ juba

5. Complete as frases abaixo com o nome de cada desenho.

feijão   caju   jaca   jipe   jabuti

A cajuada é feita de _____ .

Joana fez doce de _____ .

O _____ comeu a jabuticaba.

A feijoada é feita com _____ preto.

João tem um belo _____ colorido.

6. Leia o texto abaixo:

O jabuti

Juca tem um jabuti.
O nome dele é Joca.
Juca dá jabuticaba para o Joca.
O jabuti não comeu.

7. Complete as frases de acordo com o que você leu.

O jabuti é de _____.

O nome do jabuti é _____.

Joca não comeu a _____.

8. Forme palavras usando as sílabas do quadro e outras que você já conhece.

ja	*ja*
je	*je*
ji	*ji*
jo	*jo*
ju	*ju*

Ja	*Ja*
Je	*Je*
Ji	*Ji*
Jo	*Jo*
Ju	*Ju*

_____

_____

_____

_____

_____

krill

k minúsculo ⎫
K maiúsculo ⎭ letra de forma

ℓ minúsculo ⎫
𝓀 maiúsculo ⎭ letra cursiva

1. Contorne o pontilhado da letra k K ℓ 𝓀 .

2. Circule nas palavras a letra k K ℓ k.

kart

kiwi

ketchup

kung fu

karaokê

krill

3. Escreva as palavras contornando os pontilhados.

kart

kung fu

kiwi

karaokê

ketchup

krill

4. Forme palavras usando as vogais e as sílabas do quadro.

a	e	i	o	u
ba	be	bi	bo	bu	bão
Ba	Be	Bi	Bo	Bu	
fa	fe	fi	fo	fu	fão
Fa	Fe	Fi	Fo	Fu	
ga			go	gu	gão
Ga			Go	Gu	
ha	he	hi	ho	hu	
Ha	He	Hi	Ho	Hu	
ja	je	ji	jo	ju	jão
Ja	Je	Ji	Jo	Ju	
ka	ke	ki	ko	ku	
Ka	Ke	Ki	Ko	Ku	

_____

_____

_____

_____

_____

_____

_____

Leão

I	minúsculo	} letra de forma
L	maiúsculo	
ℓ	minúsculo	} letra cursiva
ℒ	maiúsculo	

1. Contorne o pontilhado da letra ⟨I L⟩ ⟨ℓ ℒ⟩.

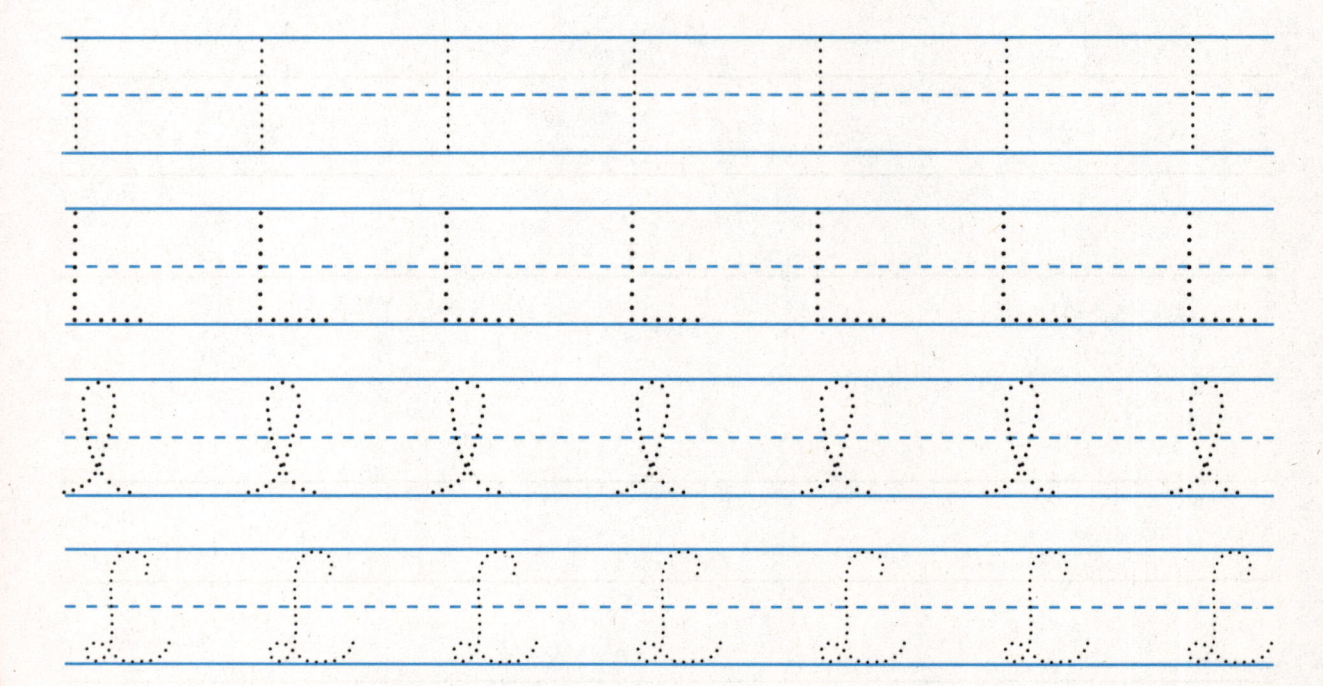

2. Pinte os quadros abaixo onde está escrita a palavra leão *leão* .

baleia *leão* leão

gato *banana* *jabuti*

3. Circule a letra l ℓ L 𝓛 nas palavras abaixo.

leão   leoa   lua

lala   Luca   Lica

lobo   leite   ala

balaio   bala   bolo

4. Faça uma lista de coisas que escrevemos com:

l ℓ   L 𝓛

_____   _____

_____   _____

_____   _____

_____   _____

_____   _____

5. Vamos formar a família silábica da letra $\boxed{l\ \ell}$ $\boxed{L\ \mathcal{L}}$? Copie nas linhas abaixo.

| la le li lo lu lão
la le li lo lu lão | La Le Li Lo Lu Lão
La Le Li Lo Lu Lão |

_____

- -

_____

_____

- -

_____

_____

- -

_____

6. Complete as palavras com as sílabas da letra $\boxed{l\ \ell}$ $\boxed{L\ \mathcal{L}}$.

bo ___

ba ___

___ bo

___ ba

___ a

___ a

bu ___

bu ___

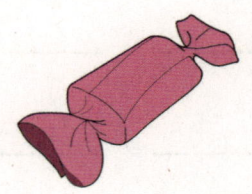

ba ___

ba ___

___ ão

___ ão

7. Junte as sílabas e escreva as palavras.

ba   la
bo   la
be   la
bu   laio
ba   le

_____

_____

_____

_____

_____

8. Circule nas palavras as sílabas que pertencem à família silábica da letra l L .

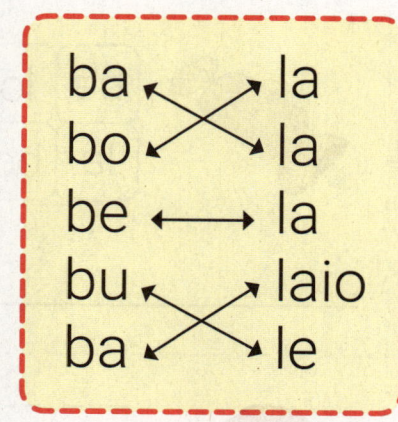

bala
bala

bola
bola

leão
leão

bule
bule

bolo
bolo

lua
lua

9. Pinte as sílabas que formam o nome de cada imagem. Depois, escreva as palavras.

	bu	i
	lu	le

_____

	bo	ba
	lão	la

_____

	ba	lo
	la	bo

_____

	la	lu
	a	bo

_____

	be	lo
	bo	bu

_____

	la	le
	ão	be

_____

10. Copie as frases substituindo as imagens por palavras.

Bia viu o  no zoológico.

_____

O  é de coco.

_____

O 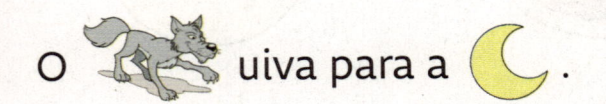 uiva para a 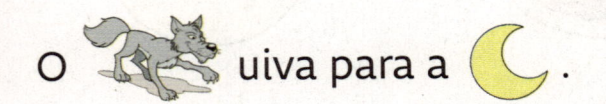 .

_____

11. Circule abaixo as palavras que contêm a letra | l l | L L |.
Copie as palavras nas linhas tracejadas.

Vamos cantar?

Meu limão, meu limoeiro
Meu pé de jacarandá
Uma vez, esquindô lelê
Outra vez, esquindô lalá.

_____

_____

_____

_____

_____

12. Recorte três palavras que tenham a letra | l l | L L | e cole no quadro abaixo.

Banco de Palavras

13. Forme palavras usando as sílabas dos quadros.

a	e	i	o	u	ão
ba	be	bi	bo	bu	bão
ca			co	cu	cão
da	de	di	do	du	dão
fa	fe	fi	fo	fu	fão
ga			go	gu	gão
ha	he	hi	ho	hu	
ja	je	ji	jo	ju	jão
ka	ke	ki	ko	ku	
la	le	li	lo	lu	lão

A	E	I	O	U
Ba	Be	Bi	Bo	Bu
Ca			Co	Cu
Da	De	Di	Do	Du
Fa	Fe	Fi	Fo	Fu
Ga			Go	Gu
Ha	He	Hi	Ho	Hu
Ja	Je	Ji	Jo	Ju
Ka	Ke	Ki	Ko	Ku
La	Le	Li	Lo	Lu

_____

_____

_____

_____

_____

_____

_____

_____

Macaco

1. Contorne o pontilhado da letra m M / ᵐ 𝓂 .

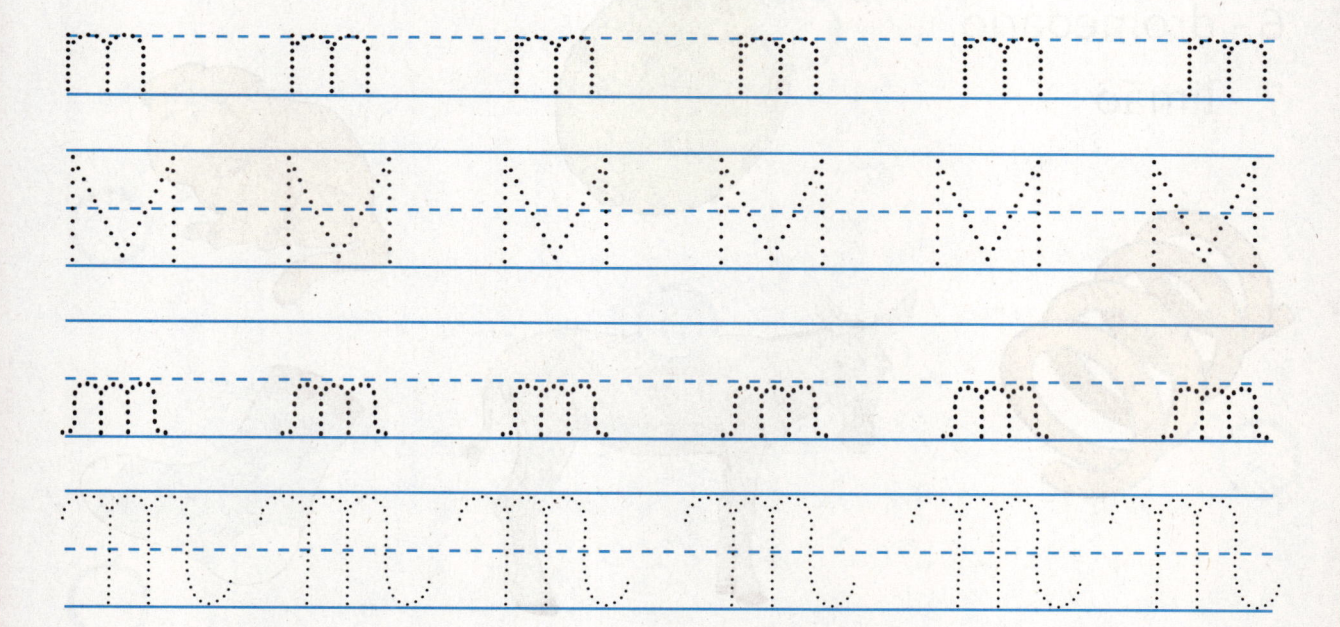

2. Forme a família silábica da letra m M m M .

m
a _____
e _____
i _____
o _____
u _____
ão _____

M
a _____
e _____
i _____
o _____
u _____

3. Numere as imagens de acordo com as palavras do quadro.

1 - maca
2 - meia
3 - macaco
4 - mola
5 - mula
6 - dromedário
7 - limão

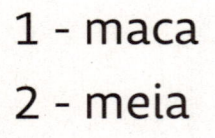

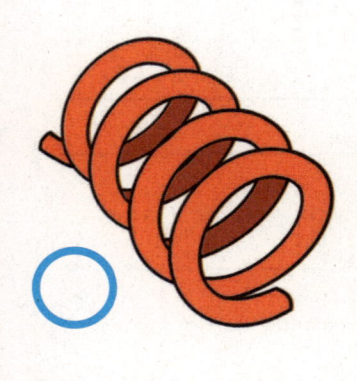

4. Junte as sílabas em destaque e forme outras palavras.

co**ma**   co**la**   **ma**la   li**mão**

_____   _____

camelo   **ma**ca   **mo**la   **e**ma   **da**do

_____   _____

5. Complete as frases de acordo com as imagens.

O macaco come _____ .

Dedé dá banana ao _____ .

O macaco saiu da _____ .

Mamãe fez vitamina de _____ .

Papai tem uma _____ .

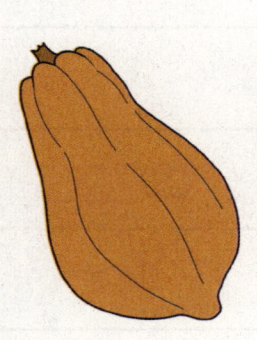

Brincando de trava-línguas

Maria-mole é molenga,
se não é molenga,
não é maria-mole,
é coisa malemolente.
Nem mala,
nem mola,
nem Maria,
nem mole.

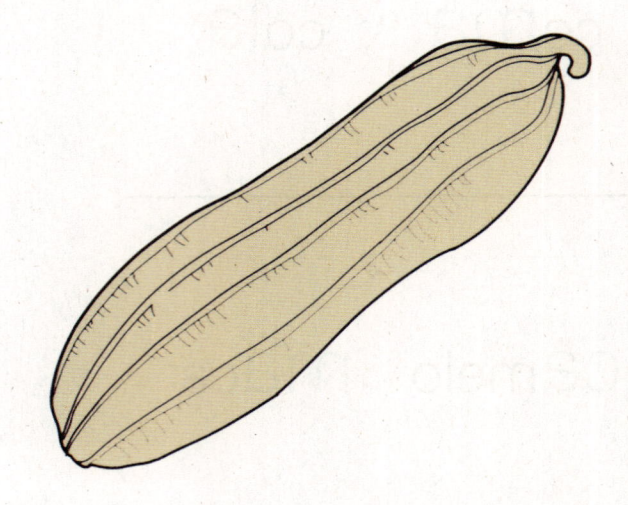

6. Circule no texto e depois copie as palavras que contenham a letra m M m M .

_____

_____

_____

_____

_____

_____

_____

7. Separe as sílabas das palavras e depois escreva quantas sílabas cada palavra tem.

limão ⬚ ⬚ _____

miojo ⬚ ⬚ ⬚ _____

motoca ⬚ ⬚ ⬚ _____

maluco ⬚ ⬚ ⬚ _____

limonada ⬚ ⬚ ⬚ ⬚ _____

8. Complete a cruzadinha com as palavras que correspondem às imagens.

Naja

n minúsculo	} letra de forma
N maiúsculo	
m minúsculo	} letra cursiva
ℕ maiúsculo	

1. Contorne o pontilhado da letra n N m ℕ .

2. Circule a letra n m N ɳ nas palavras abaixo.

Nestor

novelo

Nina

panela

nuvem

memê

3. Pinte apenas as sílabas da família silábica do n m N ɳ e escreva as palavras nas linhas abaixo.

na ja

_____

bo ne ca

_____

bo né

_____

ba na na

_____

no ve

_____

ca ne ta

_____

ca nu do

_____

na vi o

_____

4. Conheça e copie a família silábica da letra ⬜ n m ⬜ N n ⬜ .

na   ne   ni   no   nu   não
ma   me   mi   mo   mu   mão

Na   Ne   Ni   No   Nu   Não
Na   Ne   Ni   No   Nu   Não

5. Substitua as imagens por palavras.

O _____ é do _____ .

Emília é a _____ da Bia.

Na _____ tem vitamina de _____ .

6. Forme palavras usando as sílabas do quadro.

A	E	I	O	U	
a	e	i	o	u	ão
ba	be	bi	bo	bu	bão
Ba	Be	Bi	Bo	Bu	
ca			co	cu	cão
Ca			Co	Cu	
da	de	di	do	du	dão
Da	De	Di	Do	Du	
fa	fe	fi	fo	fu	fão
Fa	Fe	Fi	Fo	Fu	
ga			go	gu	gão
Ga			Go	Gu	
ha	he	hi	ho	hu	
Ha	He	Hi	Ho	Hu	
ja	je	ji	jo	ju	jão
Ja	Je	Ji	Jo	Ju	
ka	ke	ki	ko	ku	
Ka	Ke	Ki	Ko	Ku	
la	le	li	lo	lu	lão
La	Le	Li	Lo	Lu	
ma	me	mi	mo	mu	mão
Ma	Me	Mi	Mo	Mu	
na	ne	ni	no	nu	não
Na	Ne	Ni	No	Nu	Não

_____

_____

_____

_____

_____

_____

_____

_____

_____

_____

_____

_____

_____

Peixe

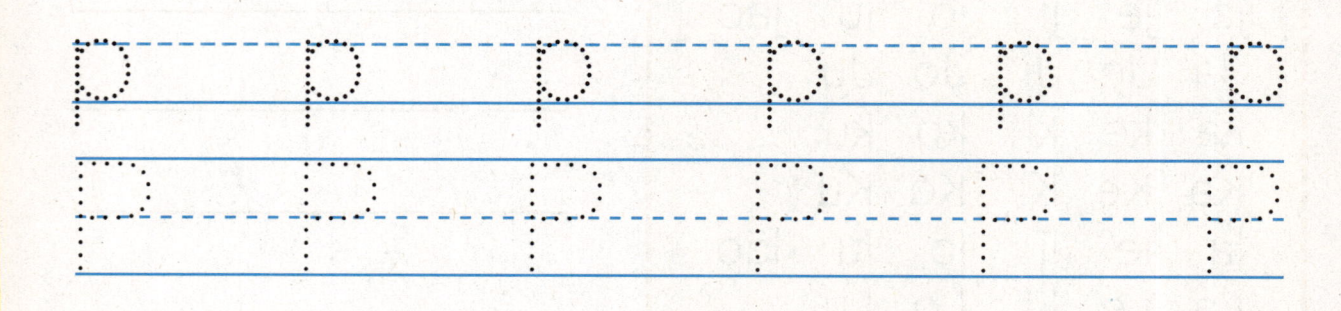

p minúsculo
P maiúsculo
} letra de forma

p minúsculo
p maiúsculo
} letra cursiva

1. Contorne o pontilhado da letra p P p p .

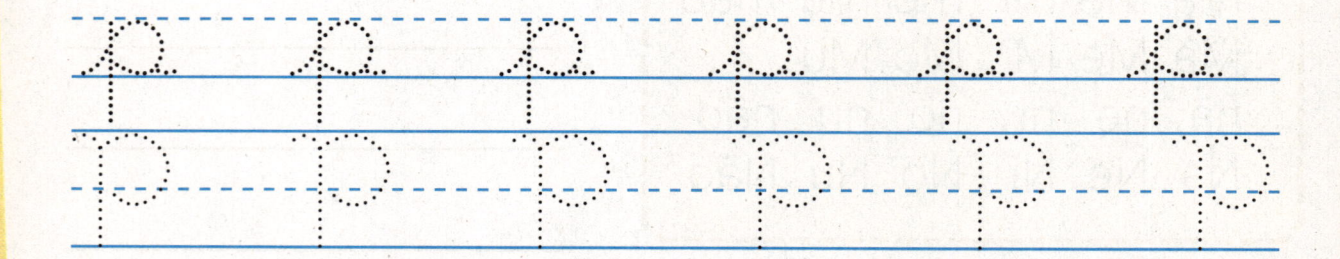

2. Identifique e circule nas palavras as sílabas com a letra p P .

pato	peteca	Patati	peteca
Papagaio	pomada	tapete	Lapa
Pateta	pipoca	jipe	panela
pula	Pepa	picolé	papudo

3. Escreva três palavras com a letra   e depois forme frases.

_____

_____

4. Troque o número por letras e escreva as palavras.

1	2	3	4	5	6	7	8	9	10
ta	ca	cu	pe	da	pi	te	pa	to	tu

1, 4 e 7 _____   8 e 2 _____

4, 7 e 2 _____   8 e 9 _____

9, 4 e 7 _____   8, 1 e 5 _____

6, 2 e 4 _____   6, 2 e 5 _____

10 e 6 _____   4, 6 e 1 _____

10, 3 e 6 _____   6 e 8 _____

Quati

q minúsculo
Q maiúsculo
} letra de forma

q minúsculo
Q maiúsculo
} letra cursiva

1. Contorne o pontilhado da letra q Q q Q .

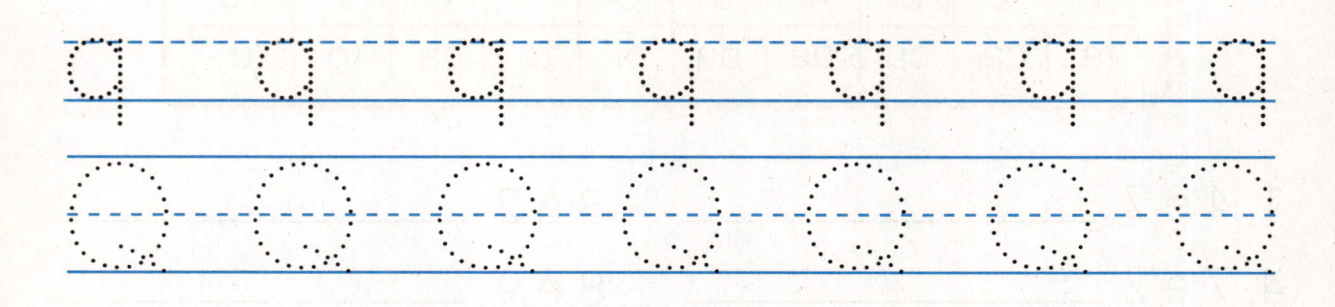

A letra `q Q` `q Q` tem o som de `cu` quando junta com as vogais `a` `o`. Lê-se: qua (c+u+a) e quo (c+u+o).

qua Qua qua Qua	quo Quo quo Quo

quatro
quatro

aquário
aquário

quati
quati

2. Leia a frase e circule a letra `q Q` `q Q`.

O solo está aquoso.

O solo está aquoso.

3. Desembaralhe as sílabas e escreva as palavras.

to · quar

_____

la · qua · a · re

_____

tro · qua

_____

quá · a · rio

_____

ti · qua

_____

dro · qua

_____

4. Circule as sílabas que tenham a letra q Q   q Q .

queijo	periquito	Quico
moleque	caqui	Pinóquio
pique	quilo	química
queimado	quimono	moqueca
muque	quiabo	quitute

5. Forme palavras com que ou qui com as sílabas do quadro e escreva nas linhas.

que	ca
le	pe
qui	mo
lo	fi

_____

_____

_____

_____

6. Ordene as frases e escreva-as abaixo.

queijo.   Quico   comeu

_____

o   vovó   fez   quinta-feira.   A   queijo   na

_____

de   é   O   feito   queijo   leite.

_____

7. Leia palavra por palavra e escreva cada uma delas abaixo, na coluna certa.

moleque   quilo   quitute   queixo

aquilo   Quico   queimado   queixada

quieto   pique   queijo   coque

quepe   quimono   caqui   Quirino

que Que	qui Qui
_____	_____
_____	_____
_____	_____
_____	_____
_____	_____
_____	_____
_____	_____
_____	_____

8. Revendo o que eu aprendi: use as letras c k q .

Por dentro sou branco e por fora posso ser verde ou marrom.
Sou a fruta que dá no _____ .

No calor eu me abano com o _____ .

Sou um boneco de madeira e o meu nariz cresceu.
Eu sou o _____ .

Sou um carro muito rápido. Meu nome começa com K.
Eu sou o _____ .

Sou um molho vermelho e acompanho a mostarda no
cachorro-quente. Eu sou o _____ .

Rato

r minúsculo

R maiúsculo

} letra de forma

ɾ minúsculo

ℛ maiúsculo

} letra cursiva

1. Contorne o pontilhado da letra r R ɾ ℛ .

2. Complete o quadro da família silábica da letra r R 🇳 R .

ra	ra
re	_____
ri	_____
ro	_____
ru	_____

Ra	Ra
Re	_____
Ri	_____
Ro	_____
Ru	_____

3. Escreva abaixo o nome das imagens e circule a sílaba que tem a letra r R 🇳 R .

_____	_____	_____	_____
_____	_____	_____	_____

4. Complete as palavras com sílabas que formam a família silábica da letra r R 🇳 R .

_____ to	_____ de	_____ o	_____ da
_____ bo	_____ to	_____ ma	_____ upa
_____ mo	_____ gua	_____ co	_____ ta
_____ quete	_____ co-reco	_____ pa	_____ bô
_____ a	_____ fo	_____ ína	_____ mo

5. Encaixe as palavras de acordo com o número de letras.

3 letras
RIO
RUA

4 letras
REDE
ROSA

5 letras
ROUPA
RÉGUA

6 letras
RÓTULO

7 letras
RELÓGIO

8 letras
RAPADURA

6. Escreva as frases substituindo as imagens por palavras.

O  roeu a  do  de Roma.

_____

Mamãe ganhou uma  .

_____

Vovô derrubou o  no chão.

_____

Vovó deitou na  .

_____

Brincando de trava-línguas

O rato roeu a rica roupa do
rei de Roma! A rainha Rosana
rasgou o resto e depois
resolveu remendar!

A aranha arranha a rã.
A rã arranha a aranha.
Nem a aranha arranha a rã.
Nem a rã arranha a aranha.

7. Circule no texto as palavras que têm a letra r R . Escreva
essas palavras em letra maiúscula ou minúscula, de acordo
com a indicação.

r
minúsculo
_____
_____
_____

R
maiúsculo
_____
_____
_____

Sapo

> s minúsculo }
> S maiúsculo } letra de forma
>
> ✠ minúsculo }
> ✠ maiúsculo } letra cursiva

1. Contorne o pontilhado da letra s S ✠ ✠ .

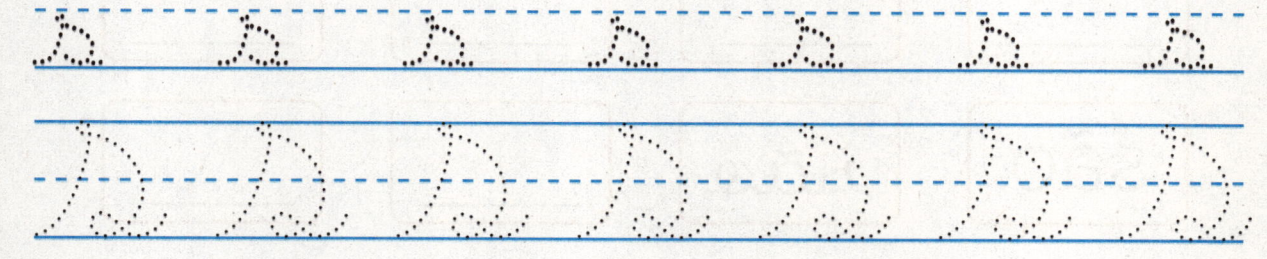

2. Leia a letra da música e observe as palavras com a letra $\boxed{\text{s S}}$ $\boxed{\text{ᔕ ᔑ}}$.

O sapo não lava o pé.
Não lava porque não quer.
Ele mora lá na lagoa,
não lava o pé porque não quer.

3. Forme e escreva a família silábica da letra $\boxed{\text{s S}}$ $\boxed{\text{ᔕ ᔑ}}$.

sa	ᔕa	Sa	ᔑa
___	___	___	___
___	___	___	___
___	___	___	___
___	___	___	___
são	ᔕão	___	___

4. Circule, nas palavras abaixo, a sílaba indicada no boxe.

sa	sabido – salame – salada – sadio
se	sebo – selado – seca – sereno
si	sineta – sino – sirene – siri
so	sonoro – soma – soja – sopa
su	suco – subida – sururu – sujo

5. Separe as sílabas das palavras e depois reescreva-as.

sala ☐☐ _____

sapeca ☐☐☐ _____

sujo ☐☐ _____

sineta ☐☐☐ _____

sofá ☐☐ _____

sapatada ☐☐☐☐ _____

sapeca ☐☐☐ _____

6. Complete as palavras com a família silábica da letra s S ʂ ᶘ .

____ bão   ____ lo   ____ nuca

____ fá   ____ ado   ____ no

____ co   ____ ca   ____ la

____ cola   ____ úde   ____ jo

7. Encontre as palavras escondidas, circule-as e depois escreva cada uma delas. Observe o exemplo:

s a c o l a   saco
                   cola

s a c a d a   _____   s a p a t o   _____

_____   _____

s u a v e   _____   s a r a c u r a   _____

_____   _____

s o p a p o   _____   s e l a d o   _____

_____   _____

8. Leia as palavras do quadro. Depois, complete as frases abaixo.

| suco |
| sola |
| salada |
| sola |
| sábados |
| suada |
| sabida |

Eu tomei _____ de caju.

Sara correu e ficou _____ .

Mamãe fez _____ de tomate.

Aos _____ não tem aula.

Silene é uma aluna muito _____ .

A _____ do sapato está gasta.

Tatu

1. Contorne o pontilhado da letra t T 𝑡 𝒥 .

2. Circule a palavra <u>tatu</u> no trava-língua.

– O tatu taí?
– Não, o tatu não tá. Mas a mulher do tatu tá. A mulher do tatu estando, é o mesmo que o tatu tá?

3. Circule a letra t T t T nas palavras escritas abaixo das figuras.

teia

toca

pato

telefone

tapete

sapato

4. Ligue as palavras iguais.

teia	tatu	toca	tubo	taco

taco	toca	tubo	tatu	teia

5. Leia os quadros e escreva a família da letra t T t J .

| ta te ti to tu tão |
| ta te ti to tu tão |

| Ta Te Ti To Tu Tão |
| Ja Je Ji Jo Ju Jão |

_____

- -

_____

6. Descubra as palavras juntando as sílabas de acordo com os números.

1	2	3	4	5	6	7
te	ca	le	fo	to	ne	do

1, 3, 4 e 6 _____   5 e 7 _____

1 e 5 _____   5 e 2 _____

7. Escreva o nome de cada uma das figuras na linha abaixo da figura.

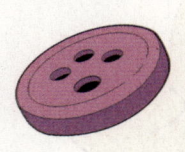   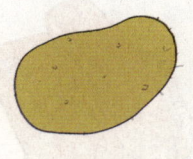   

_____   _____   _____

_____   _____   _____

8. Pinte as sílabas da letra t T t ʃ nas palavras. Para cada sílaba, use a cor indicada.

Ta ta	abacate	Otávio	tico-tico
Te te	gaita	telefone	tubarão
Ti ti	Cíntia	tomate	noite
To to	tucano	Tadeu	tubo
Tu tu	Antônio	garoto	time

9. Complete as frases de acordo com as imagens.

O _____ nada no lago.

O _____ está mudo.

O cachorro bebe _____ na cuia.

10. Forme palavras juntando as sílabas do quadro e escreva nas linhas ao lado.

a	e	i	o	u	ão
A	E	I	O	U	
ba	be	bi	bo	bu	bão
Ba	Be	Bi	Bo	Bu	
ca			co	cu	cão
Ca			Co	Cu	
da	de	di	do	du	dão
Da	De	Di	Do	Du	
fa	fe	fi	fo	fu	fão
Fa	Fe	Fi	Fo	Fu	
ga			go	gu	gão
Ga			Go	Gu	
ha	he	hi	ho	hu	
Ha	He	Hi	Ho	Hu	
ja	je	ji	jo	ju	jão
Ja	Je	Ji	Jo	Ju	
ka	ke	ki	ko	ku	
Ka	Ke	Ki	Ko	Ku	
la	le	li	lo	lu	lão
La	Le	Li	Lo	Lu	
ma	me	mi	mo	mu	mão
Ma	Me	Mi	Mo	Mu	
na	ne	ni	no	nu	não
Na	Ne	Ni	No	Nu	Não
pa	pe	pi	po	pu	pão
Pa	Pe	Pi	Po	Pu	
qua	que	qui			
Qua	Que	Qui			
ra	re	ri	ro	ru	rão
Ra	Re	Ri	Ro	Ru	
sa	se	si	so	su	são
Sa	Se	Si	So	Su	
ta	te	ti	to	tu	tão
Ta	Te	Ti	To	Tu	Tão

_____

_____

_____

_____

_____

_____

_____

_____

_____

_____

_____

_____

_____

Vaca

v minúsculo
V maiúsculo
} letra de forma

ʋ minúsculo
ʊ maiúsculo
} letra cursiva

1. Contorne o pontilhado da letra v V   ʋ ʊ .

v v v v v v v v

V V V V V V V V

ʋ ʋ ʋ ʋ ʋ ʋ ʋ ʋ

ʊ ʊ ʊ ʊ ʊ ʊ ʊ ʊ

2. Pinte os quadros onde tem a palavra vaca .

vaia	vala	vaca
vaca	vela	vaca
uva	veia	vaca

3. Pinte a letra v V ᴠ ʊ nas palavras.

ovo
ovo

violão
violão

cavalo
cavalo

Vanda
Vanda

Vagner
Vagner

luva
luva

4. Leia a família silábica da letra v V ʋ Ʋ .

va ve vi vo vu vão
va ve vi vo vu vão

Va Ve Vi Vo Vu Vão
Va Ve Vi Vo Vu Vão

5. Ligue as sílabas às palavras e depois escreva-as.

| vi | va |

| ca | va | lo |

| lu | va |

| vo | vó |

| vi | o | lão |

luva _____

viva _____

cavalo _____

violão _____

vovó _____

6. Leia as palavras e pinte um quadrado para cada sílaba.

vaca

violão

cavalo

luva

vovó

7. Ordene as sílabas e escreva as palavras.

va · ca · lo

_____

o · vi · lão

_____

la · ve

_____

va · lu

_____

vô · vo

_____

vó · vo

_____

8. Complete as frases com uma palavra e depois copie-as.

A luva é da _____ .

_____

Vovó tem uma _____ .

_____

Bia lavou a _____ .

_____

9. Copie as palavras na coluna correspondente.

cavalo	violão	véu
vela	vespa	coco
uva	luva	vaca
veado	mamão	graviola

| **Objetos** | **Animais** | **Frutas** |

_____   _____   _____

_____   _____   _____

_____   _____   _____

_____   _____   _____

10. Encontre as palavras no caça-palavras abaixo.

A B V E A D O E D M A E
B Y É P B V E S P A C S
C L C L U V A L V M L V
A F K R Ã L L T L Ã T A
V E L A G N C O C O A C
A U J V É U O T S J V A
L V U P M T S D C U V X
O A O R E É A B H G S Y
P R H Ã G R A V I O L A
P L V I O L Ã O L N B O

Wallaby

> w minúsculo
> W maiúsculo
> } letra de forma
>
> ᴡ minúsculo
> 𝒲 maiúsculo
> } letra cursiva

1. Contorne o pontilhado da letra w W ᴡ 𝒲 .

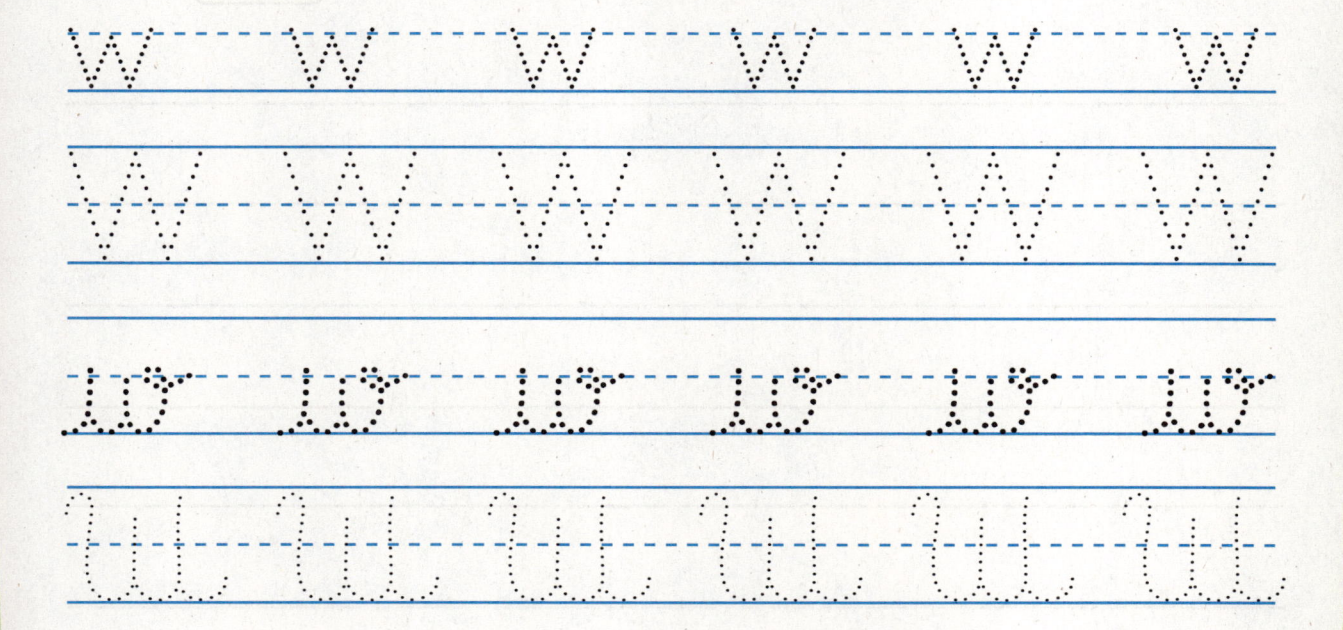

A letra w W ɯ W pode ter o som de v . Observe.

Walter   Wanda

Também pode ter o som de u . Observe.

William   wafer   kiwi

2. Escreva nomes de pessoas que tenham a letra W W .

_____

_____

_____

_____

_____

_____

3. Ligue as palavras iguais.

Walter   *Willy*

Wanda   *Walter*

Wilson   *William*

William   *Wagner*

Wagner   *Wesley*

Willy   *Wilson*

Wesley   *Wanda*

4. Cole abaixo a figura de um menino e uma menina. Escolha um nome para cada um deles com a letra W W .

Xaréu

x minúsculo
X maiúsculo } letra de forma

x minúsculo
X maiúsculo } letra cursiva

1. Contorne o pontilhado da letra x X x X .

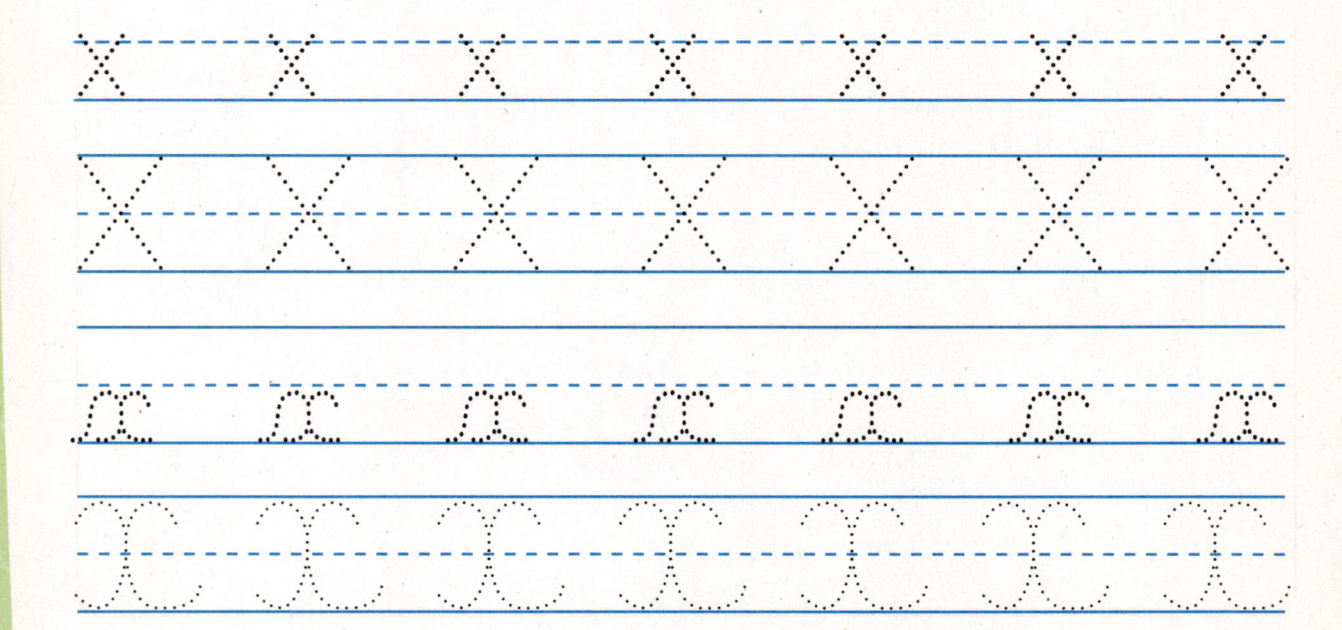

2. Leia a família silábica da letra x X 𝓍 𝓧 .

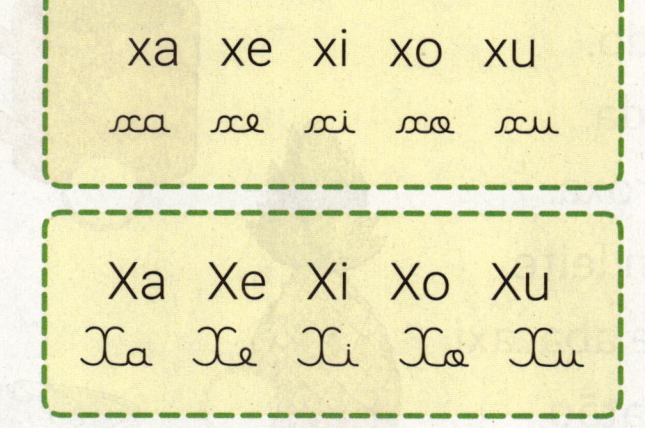

xa xe xi xo xu
𝓍𝓪 𝓍𝓮 𝓍𝓲 𝓍𝓸 𝓍𝓾

Xa Xe Xi Xo Xu
𝓧𝓪 𝓧𝓮 𝓧𝓲 𝓧𝓸 𝓧𝓾

3. Circule a letra x X nas palavras.

xale	caixa	abacaxi	xote
xerife	roxo	mexeu	lixa
xícara	ameixa	xixi	xodó
xará	Xuxa	faxina	xilofone

4. Complete com a letra x X 𝓍 𝓧 e reescreva as palavras.

_____ ale _____ pei_____e _____

amei____a _____ _____ereta _____

li_____a _____ be____iga _____

cai_____a _____ li_____o _____

Xu_____a _____ ro_____o _____

125

5. Numere as imagens de acordo com as frases abaixo.

1- Vovô comeu ovo mexido.

2- O xale da vovó é de seda.

3- A caixa do presente é roxa.

4- Na xícara tem café com leite.

5- Ximena tomou suco de abacaxi.

6- Paulo jogou o lixo no latão.

6. Troque o número por letras e escreva as palavras.

1	2	3	4	5	6
me	fa	be	re	xi	xa

7	8	9	10	11	12
ga	na	do	rá	le	Xu

2, 5 e 8 _____   3, 5 e 7_____

6 e 10 _____   4, 1, 5 e 9 _____

12 e 6 _____   6 e 11_____

7. Leia o texto e complete:

> Vovó tem um xale.
> O xale da vovó Ximena é colorido.
> Ela guarda o xale em uma caixa.
> A caixa fica na gaveta.
> Foi vovô Xerxes quem deu o xale
> para a vovó.

O nome da vovó é _____ .

Vovó guarda o xale na _____ .

8. Pinte a ficha correta.

A caixa com o xale da vovó fica na...

xícara	gaveta	chácara

9. Responda:

Quem deu o xale para a vovó?

_____

_____

_____

Yorkshire

y	minúsculo	} letra de forma
Y	maiúsculo	
y	minúsculo	} letra cursiva
y	maiúsculo	

1. Contorne o pontilhado da letra y Y   y y .

A letra [y Y] [y y] tem o som de "i". Observe.

> yoga (leio ióga)

É comum o [y Y] [y y] aparecer em nome de pessoas.

Yuri   Yasmin   Cynthia

Yuri   *Yasmin*   *Cynthia*

2. Leia e escreva as palavras.

yoga _____

chantilly _____

motoboy _____

spray _____

playground _____

3. Cole abaixo duas imagens que tenham a letra [y Y] [y y].

Zebra

z minúsculo
Z maiúsculo } letra de forma

ȝ minúsculo
Ȝ maiúsculo } letra cursiva

1. Contorne o pontilhado da letra z Z ȝ Ȝ .

1. Conheça a família silábica da letra z Z 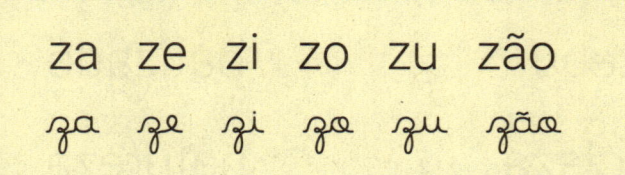 .

za ze zi zo zu zão
za ze zi zo zu zão

Za Ze Zi Zo Zu Zão
Za Ze Zi Zo Zu Zão

2. Circule nas palavras as sílabas que têm a letra z Z .

buzina   zebu   batizado

zero   moleza   azia

azeitona   juízo   doze

Zezinho   Zezé   bezerro

dezoito   cozido   zoológico

natureza   pezinho   zoada

3. Leia as palavras. Depois, copie-as separando-as como se pede.

buzina	zebu	batizado
zero	moleza	natureza
azeitona	juízo	doze
Zezinho	Zezé	bezerro
dezoito	cozido	zoológico

Letra z no início da palavra

Letra z no meio da palavra

Letra z no fim da palavra

_____

_____

_____

_____

_____

_____

_____

4. Separe as palavras em sílabas. Depois, reescreva-as.

batizado ☐ ☐ ☐ ☐ _____

zoada ☐ ☐ ☐ _____

pezinho ☐ ☐ ☐ _____

natureza ☐ ☐ ☐ ☐ _____

doze ☐ ☐ _____

buzina ☐ ☐ ☐ _____

5. Complete as frases escrevendo palavras que tenham a letra z Z z Z .

> azeitona - pezinho - doze - buzina - pezão
> bezerro - zebra - natureza - zoológico

Zezé tocou a _____ do jipe.

Zezinho viu a _____ no jardim _____.

Uma dúzia é o mesmo que _____.

Devemos preservar a _____.

Um pé pequeno é um _____.

Um pé grande é um _____.

O filhote da vaca é o _____.

O azeite é feito de _____.

Til (~) é o sinal que indica o som nasal da vogal `a` e `o` .

ã	ão	ãe	õe
rã	avião	mãe	põe

1. Leia as palavras que têm o sinal til (~) e pinte as vogais onde ele aparece.

avião	cão	mão	leão
imã	irmã	lã	rã
mamãe	caminhão	coração	balão
fogão	violão	pião	limão

2. Circule as palavras com `ão` .

Cai cai balão
Cai cai balão, cai cai balão
Cai aqui na minha mão!
Não cai não, não cai não, não cai não
Cai na rua do sabão!

Cai cai balão, cai cai balão
Cai na rua do sabão!
Não vou lá, não vou lá, não vou lá
Tenho medo de me queimar!

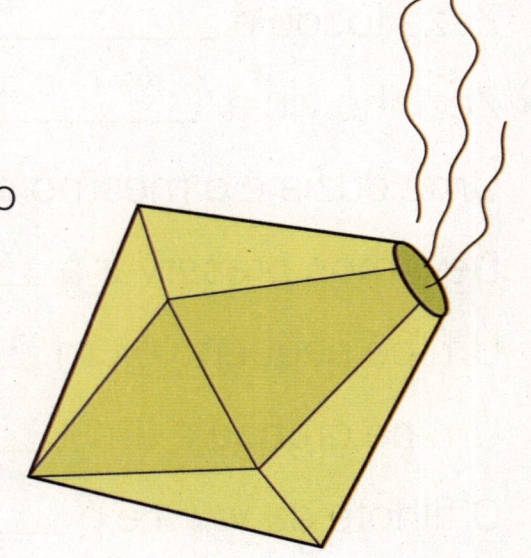

3. Substitua os símbolos por sílabas e escreva as palavras.

♥ co	♪ ba
♣ ca	■ ra
# fo	☼ a
☺ mi	▶ ção
○ lão	▲ gão

♥ ■ ▶ _____

♪ ○ _____

■ ▶ _____

♣ ▶ _____

▲ _____

☼ ☺ ▲ _____

4. Complete a cruzadinha com o nome das imagens.

Alfabetário

Alfabetário

J J
K k
L L
M m
N n
O o
P p
Q Q
R R

Alfabetário

S s

T t

U u

V v

W w

X x

Y y

Z z

Colorindo o alfabeto

a A
Arara

e E
Ema

i l
Iguana

o O
Onça

u U
Urso

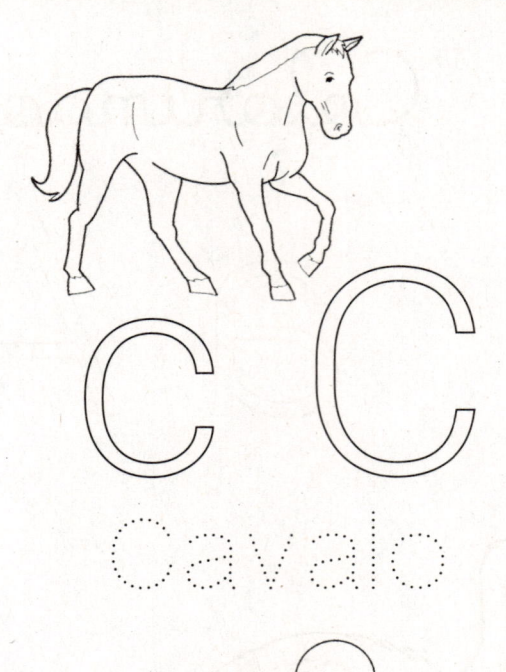

b B
c C

Baleia
Cavalo

d D
f F

Dromedário
Foca

g G
h H

Gato
Hiena

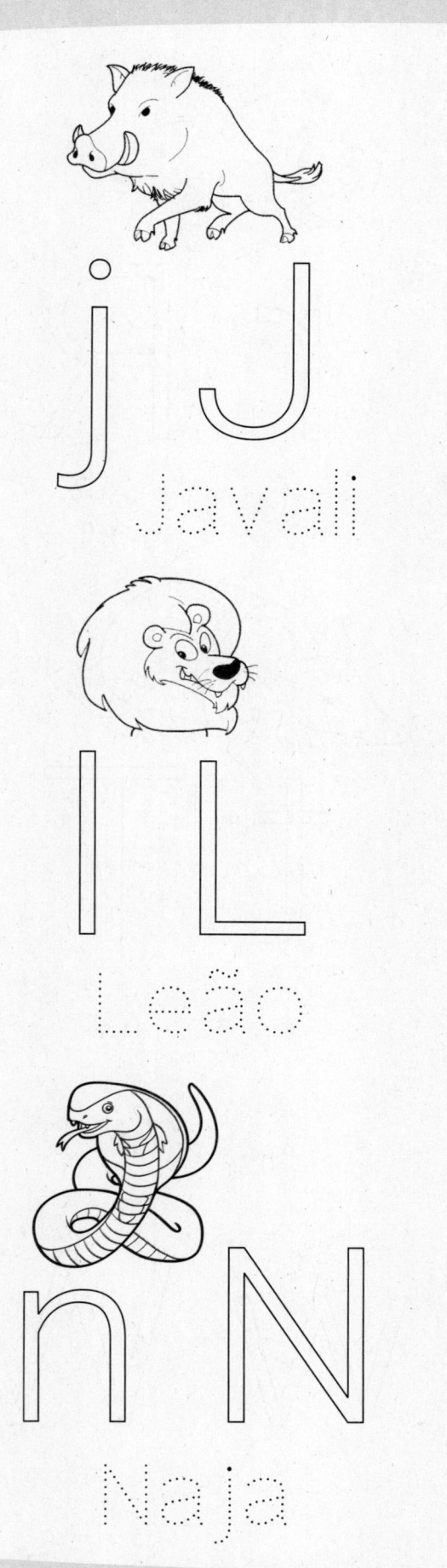

j J Javali

k K Krill

l L Leão

m M Macaco

n N Naja

p P Peixe

q Q Quati

r R Rato

s S Sapo

t T Tatu

v V Vaca

w W Wallaby

X X
Xaréu

Y Y
Yorkshire

Z Z
Zebra

A B C D E
F G H I J
K L M N
O P Q R S
T U V W
X Y Z